A little present . . .

Enjoy reading it.

Thanks.

Barbara

October 2010

Über das Buch:

Wenn ein Drucker nicht nur eine Maschine, sondern auch ein Mensch ist, was ist dann ein Gabelstapler? Warum ist ein älterer Mann jünger als ein alter Mann? Wachsen Schattenmorellen besser im Schatten als in der Sonne? Und was ist wirklich grün am grünen Bohneneintopf? Zum vierten Mal taucht Bastian Sick in die tiefen Wasser – oder Wässer? – der abenteuerlichen deutschen Sprache ein und begibt sich auf die Jagd nach *Zwiebelfischen*. Erneut nimmt er die Leser mit auf eine unterhaltsame Reise in die Welt der Stilblüten und Paradoxe, der etymologischen Verballhornungen und der regionalsprachlichen Besonderheiten, z. B. des Norddeutschen und des Schweizerdeutschen.

Der Autor:

Bastian Sick, geboren in Lübeck, Studium der Geschichtswissenschaft und Romanistik, Tätigkeit als Lektor und Übersetzer, von 1995–1998 Dokumentarjournalist beim »Spiegel«, von 1999 bis 2009 Mitarbeiter der Redaktion von »Spiegel Online«, seit 2003 dort Autor der Sprachkolumne »Zwiebelfisch«. Im Mai 2003 konnte man zum ersten Mal den »Zwiebelfisch« lesen, Sicks heitere Kolumne über die deutsche Sprache, aus der später die Buchreihe »Der Dativ ist dem Genitiv sein Tod« werden sollte. Es folgten zahlreiche Fernsehauftritte und eine Lesereise, die in der »größten Deutschstunde der Welt« gipfelte, zu der 15.000 Menschen in die Köln-Arena strömten. 2006 ging Bastian Sick erstmals mit einem eigenen Bühnenprogramm auf Tournee, einer Mischung aus Lesung, Kabarett und fröhlicher Show. Zuletzt erschien von ihm »Happy Aua 2«, die Fortsetzung des kultigen Bilderbuchs aus dem Irrgarten der deutschen Sprache. Seit 2009 arbeitet Bastian Sick als freier Autor. Er lebt in Hamburg.

Weitere Titel bei Kiepenheuer & Witsch:

»Der Dativ ist dem Genitiv sein Tod. Ein Wegweiser durch den Irrgarten der deutschen Sprache«, KiWi 863, 2004 (liegt auch als gebundene Schmuckausgabe vor). »Der Dativ ist dem Genitiv sein Tod – Folge 2. Neues aus dem Irrgarten der deutschen Sprache«, KiWi 900, 2005. »Der Dativ ist dem Genitiv sein Tod – Folge 3. Noch mehr Neues aus dem Irrgarten der deutschen Sprache«, KiWi 958, 2006. »Happy Aua. Ein Bilderbuch aus dem Irrgarten der deutschen Sprache«, KiWi

996, 2007. »Zu wahr, um schön zu sein, Verdrehte Sprichwörter, 16 Postkarten«, KiWi 1050, 2008. »Happy Aua – Folge 2. Ein Bilderbuch aus dem Irrgarten der deutschen Sprache«, KiWi 1065, 2008. »Der Dativ ist dem Genitiv sein Tod – Folge 1-3 in einem Band, Ein Wegweiser durch den Irrgarten der deutschen Sprache«, KiWi 1072, 2008.

Bastian Sick

Der Dativ ist dem Genitiv sein Tod

Folge 4

Das Allerneueste aus dem Irrgarten
der deutschen Sprache

Mit Illustrationen von
Katharina M. Baumann

Kiepenheuer & Witsch

2. Auflage 2009

© 2009 by Verlag Kiepenheuer & Witsch, Köln
© 2009 SPIEGEL ONLINE GmbH, Hamburg
Umschlaggestaltung: Barbara Thoben, Köln
Umschlagmotiv: © Fotolia/Stephen Coburn
Autorenfoto: © www.zitzlaff
Gesetzt aus der DTL Documenta und der Meta
Satz: Buch-Werkstatt GmbH, Bad Aibling
Druck und Bindearbeiten: CPI – Clausen & Bosse, Leck
ISBN 978-3-462-04164-4

Inhalt

Liebe Leserinnen und Leser!

Nicht jeder ist des zweiten Falles mächtig, aber wenigstens doch dem dritten. Und genau deswegen – um nicht zu sagen demwegen – gehen Dativ und Genitiv nun in eine neue Runde. Zum vierten Mal. Und Sie können bei diesem spannenden Kampf wieder hautnah mit dabei sein!

Ich komme ja inzwischen recht viel herum. Nicht nur in Deutschland, sondern auch in Österreich und in der Schweiz. Im vergangenen Jahr habe ich sogar eine Südamerika-Tournee gemacht. Dieses Jahr war ich zu Lesungen in Spanien und in Ägypten. Fast überall auf der Welt leben Deutsche, und fast überall auf der Welt macht man sich Gedanken darüber, wie man sich der deutschen Sprache richtig bedient. Als ich mich vor einiger Zeit auf Einladung der Deutschen Schule in Palma de Mallorca aufhielt und mich in einem Straßencafé auf meinen Vortrag vorbereitete, setzte sich ein deutsches Urlauberpaar aus Berlin zu mir an den Tisch. Die Frau zeigte sogleich großes Interesse an meinen Unterlagen: »Woran schreiben Sie denn da?«, wollte sie wissen. Ich erklärte ihr, dass ich Geschichten über die deutsche Sprache verfasse und dass ich damit auf Tournee gehe und gelegentlich sogar im Fernsehen auftrete. Da sagte der Mann anerkennend: »Ich finde es richtig, dass sich mal jemand dem Thema deutsche Sprache annimmt!« Seine Frau blickte ihn leicht entsetzt von der Seite an und berichtigte: »*Des* Themas deutsche Sprache!« Woraufhin er nur zustimmend nickte und erwiderte: »Ja, das auch!«

Bei einer anderen Gelegenheit wurde ich gefragt, ob ich denn tatsächlich auf jede Frage eine Antwort habe. Nein, das habe ich natürlich nicht. Manchmal kann ich mich nur auf mein Bauchgefühl verlassen, und das ist nicht immer unbedingt auf dem neuesten Stand. Unlängst erhielt ich einen Anruf von einem Polizeioberrat aus Hessen, der von mir wissen wollte, ob die Anleitung für den Umgang mit Diensthunden, an der seine Behörde zurzeit arbeite, ein Leitfaden für das Diensthundwesen sei oder für das Diensthundewesen – ob das Wort also mit einem »e« zwischen Hund und Wesen geschrieben werden müsse oder nicht. Da kamen mir zunächst andere Zusammensetzungen mit dem Wort »Hund« in den Sinn: Hundeleine, Hundefutter, Hundemarke – die werden immer mit der Hunde-Mehrzahl gebildet. Selbst die Hundesteuer ist keine Hundsteuer, obwohl die Juristen doch sonst so beharrlich jedes Fugenzeichen vor der Steuer tilgen: Einkommensteuer statt Einkommenssteuer, Grunderwerbsteuer statt Grunderwerbssteuer usw. Ich konnte keinen Grund erkennen, weshalb ein Diensthund sprachlich anders behandelt werden sollte als ein ganz gewöhnlicher Hund, daher riet ich dem Polizeioberrat, die Hunde auch in dienstlichen Zusammenhängen in die Mehrzahl zu setzen und seinen Leitfaden um das Diensthundewesen zu wickeln. »Darf ich mich auf Sie berufen?«, fragte er. Das dürfe er gern, erwiderte ich und legte auf. Anderntags ging ich mit meinem Neffen in den Zoo. Als es zu klären galt, wo wir uns wiedertreffen wollten, sollten wir in der Menge getrennt werden, machte ich den Vorschlag: »Am Nilpferdbecken!« Und da durchfuhr es mich plötzlich: Ich hatte wie selbstverständlich »Nilpferdbecken« gesagt. Nicht etwa »Nilpferdebecken«, obwohl ich doch bei jeder einfachen Zusammensetzung das Pferd in die Mehrzahl setzen würde: Pferdewiese, Pferderennen, Pferdehafer, Pferdewurst. Beim Nilpferd aber habe ich mich intuitiv für die Einzahl entschieden, obwohl in dem Becken garantiert nicht nur ein einziges Nilpferd herumplantscht. Trotzdem hörte es sich nicht falsch an. Offenbar gab es eine

Regel, die es erlaubte, ein Tier bei Zusammensetzungen in der Einzahl zu lassen, und zwar wenn dem Tier (wie hier dem Pferd) ein Bestimmungswort (Nil) vorausging. Demnach musste es auch erlaubt sein, vom »Diensthundwesen« zu sprechen. Zu dumm, dass ich mir die Telefonnummer des Polizeioberrats nicht notiert hatte. So konnte ich ihn nicht mehr anrufen, um ihm von dieser Erkenntnis zu berichten! Ich konnte sie aber zu einer Kolumne verarbeiten, wie in dem Kapitel »Rindswahn und anderer Schweinekram« (ab S. Seite 34) geschehen.

Nach dem Erscheinen meines ersten Buches wurde mir häufiger die Frage gestellt, ob ich denn glaube, mit meinen Kolumnen irgendetwas verändern zu können. Nein, habe ich dann immer geantwortet, ich bilde mir nicht ein, irgendetwas zu bewirken. Aber wenn es mir gelingt, dass sich ein paar Menschen von mir gut unterhalten fühlen, und ich sie gleichzeitig zum Nachdenken anregen kann, dann habe ich viel erreicht. Heute wird mir diese Frage nicht mehr gestellt. Denn dass sich etwas tut in unserer Gesellschaft, dass die Sensibilität für sprachliche Themen stärker ausgeprägt ist als vor zehn Jahren, daran besteht kein Zweifel mehr. Es werden zwar immer noch jede Menge Fehler gemacht (schließlich sind und bleiben wir Menschen), aber überall finden sich deutliche Anzeichen für einen Wandel – zum Teil an völlig unerwarteten Orten. So entdeckte ich in einer »Saturn«-Filiale in Leipzig ein Schild, das dem Kunden den Weg zu »CD s« und »DVD s« wies. »Endlich mal keine apostrophierten CD's und DVD's«, dachte ich erfreut. Allerdings schien mir die Lücke vor dem jeweiligen Plural-s etwas zu breit geraten. Als ich näher an das Schild herantrat, erkannte ich die feinen Umrisse zweier Apostrophe, die dort ursprünglich geklebt hatten. Irgendjemand musste sie zwischenzeitlich abgekratzt haben – vielleicht ein Mitarbeiter, der meine Bücher gelesen hatte. Vielleicht war es auch auf Anweisung von höchster Stelle geschehen: »Liebe Mitarbeiter, alle Plural-Apostrophe sind umgehend von sämtlichen Schildern zu entfernen. Dinge wie PC's und Notebook's gibt es ab sofort nur noch bei der Konkurrenz! Wir sind doch schließlich nicht blöd!«

Ein weiteres Beispiel für die Wirkung meiner Bücher erlebte ich kürzlich beim Bäcker. Die Dame vor mir hatte gerade ein äußerst appetitlich aussehendes Brötchen mit Käse bestellt, und als ich an die Reihe kam, sagte ich hungrig: »Ich nehme dasselbe, bitte.« – »Das geht nicht«, erwiderte die Verkäuferin knapp. »Wieso denn nicht?«, fragte ich perplex. »Ich kann dasselbe Brötchen nicht zweimal verkaufen. Das müssten Sie dann schon mit der Dame aushandeln, ob die Ihnen ihr Brötchen abtritt. Ich könnte Ihnen höchstens das gleiche anbieten, aber nicht dasselbe!« – »Donnerwetter, Sie nehmen es aber genau mit der Sprache!«, sagte ich und fühlte mich auf unangenehme Weise ertappt. »Freilich«, erwiderte sie in einem Ton, als sei es das Selbstverständlichste von der Welt, »kennen Sie nicht das Buch ›Der Dativ ist dem Genitiv sein Tod‹?« Ich schluckte trocken. »Nein«, log ich, »davon habe ich noch nie gehört!« Dann zahlte ich hastig, setzte meine Sonnenbrille auf und verließ das Geschäft. Als ich später meiner Freundin Sibylle von diesem peinlichen Erlebnis berichtete, rief sie begeistert aus: »Es ist so weit! Die Bevölkerung schlägt zurück!« In diesem Sinne: Ring frei für die nächste Runde! Viel Vergnügen wünscht Ihnen Ihr

Bastian Sick
Hamburg, im August 2009

Wenn der Timo mit der Leonie

An so manchen Fragen scheiden sich die Geister: Wird ein Alsterwasser mit Orangen- oder Zitronenlimonade gemacht? Isst man zum Spargel Schinken oder Ei? Und: Gehört vor einen Vornamen ein Artikel oder nicht?

Heißt es »Helmut und Karin« oder »der Helmut und die Karin«? Ist das eine besser als das andere, gibt es ein »richtig« oder »falsch«? Für viele ist dies eine Glaubensfrage, der sie eine ebenso große Bedeutung beimessen wie der Unterscheidung zwischen links und rechts, katholisch und evangelisch, Ossis und Wessis. Ob Helmut und Karin bessere Deutsche sind als andere, ist ungewiss. Für viele steht indes fest, dass sie besseres Deutsch sind.

Manch einer erinnert sich vielleicht noch mit leichtem Erschauern an die eine oder andere studentische Diskussion mit Wortbeiträgen der folgenden Art: »Also, was die Britta da gerade angesprochen hat, das finde ich total wichtig. Auch den Einwand von der Karin kann ich nur unterstreichen. Ich würde aber trotzdem gern noch mal auf das zurückkommen, was der Frank vorhin gesagt hat …«

Ein ehemaliger Studienkollege namens Daniel war berühmt für seine zahlreichen, leider selten erfolgreichen Anläufe, mit einem Vertreter des weiblichen Geschlechts in Kontakt zu treten. Auf irgendeiner Wohnungseinweihungsfeier hatte Daniel eine attraktive Jurastudentin ins Auge gefasst, eilends das Wichtigste (Name: Barbara, derzeitiger Status: Single) über sie in Erfahrung gebracht, um sich alsbald mutig an sie heranzupirschen. »Hallo, ich bin der Daniel«, sagte Daniel. »Und du bist die Barbara,

13

stimmt's?« Die Reaktion fiel nicht ganz so euphorisch aus, wie Daniel erhofft hatte. »Ich heiße Barbara!«, stellte die Angesprochene richtig, »ob ich *die* Barbara bin, hängt davon ab, was du dir unter *der* Barbara vorstellst. Es gibt allein in dieser Stadt mehrere Hundert verschiedene Barbaras. Um sicher zu sein, dass ich *die* eine bestimmte bin, die dir vorschwebte, als du mich ansprachst, müsste ich wissen, wie du *die* Barbara definierst!« Nach dieser wortreichen Eröffnung beschloss Daniel, sich für den Rest des Abends nur noch auf weniger anspruchsvolle Gesprächspartner einzulassen. »Hallo«, hörte ich ihn später hinter mir am Büfett brummen, »ich bin der Daniel. Und du bist die Bowle, stimmt's?«

Irgendwo zwischen Nord und Süd verläuft eine unsichtbare Grenze, eine Art Äquator, der die deutsche Sprachlandschaft in zwei Hälften teilt: in eine bestimmte und in eine unbestimmte Vornamenszone. Im nördlichen Teil der Republik ist es nicht üblich, Eigennamen einen Artikel voranzustellen. Manch einer ist in dieser Frage sehr streng erzogen worden. »Bei uns hieß es früher: *Die* steht im Stall und *du* stehst daneben«, schrieb mir ein Leser. Er hatte gelernt, dass ausschließlich Tiere mit einem Artikel vor dem Namen genannt wurden: Wenn *die* Lotte und *die* Rosie Durchfall hatten, musste der Veterinär kommen, denn dann waren die Kühe krank. Demzufolge galt es als herabwürdigend, einen Menschen mit einem Artikel zu belegen. Ganz so streng wird es heute wohl nur noch in wenigen Familien gelehrt. Dennoch ist die Verwendung eines Artikels vor einem Namen im norddeutschen Sprachraum nach wie vor unüblich.

Es sei denn, man ist in einer Kita, einer Kindertagesstätte. Dort wird jedes Kind mit einem »der« oder »die« versehen.

Das macht es den Kindergärtnerinnen leichter, sich das jeweilige Geschlecht ihrer Schützlinge zu merken. Bei Vornamen wie Eike, Kim, Dominique, Marian, Kersten, Elia, Yael oder Sidney ist schließlich nicht für jeden gleich ersichtlich, ob sich dahinter ein Junge oder ein Mädchen verbirgt. Aus diesem Grund gewöhnt man es sich in der Kita gleich als Erstes an, nur von »dem Elia« und von »der Kim« zu sprechen. Den Purzeln dürfte das völlig normal erscheinen. Es ist ja schließlich auch immer von *der* Mama und *dem* Papa die Rede.

Zeitweilig waren ja Doppelnamen wieder sehr in Mode. In den neunziger Jahren erreichte die Beliebtheit ihren Höhepunkt. Ich erinnere mich an einen Kindergärtnerinnen-Ausruf, der in meinem Freundeskreis fast zu einem geflügelten Wort wurde: »Thorben-Hendrik, lass den Jasper-Quentin in Ruhe und gib der Emily-Marie ihre Barbie zurück!« (Wobei ich nicht sicher bin, ob Barbie wirklich immer noch bloß Barbie heißt. Vielleicht hat man inzwischen eine neue Puppenkollektion eingeführt mit Doppelnamen wie Barbie-Kiara und Ken-Noah.)

Neben der klaren Geschlechtszuordnung gibt es für die oben beschriebene besondere Form der Kita-Grammatik noch einen weiteren plausiblen Grund: Der Umgang mit Kindern im Vorschulalter erfordert sprachliche Klarheit und Eindeutigkeit, sonst verstehen die Kleinen nicht, was gemeint ist. Die Zuordnung von Artikeln kann helfen, grammatische Bezüge deutlich zu machen, zum Beispiel in der Frage, wer wen getreten, gehauen oder geschubst hat. Die Aussage »Mirko hat Jan getreten, nicht Justin!« kann nämlich auf unterschiedliche Weise gedeutet werden. Einmal mit Jan als Treter: »Den Mirko hat der Jan getreten«, dann mit Mirko als Treter: »Der Mirko hat den

Jan getreten« – und dann noch mal jeweils mit Justin als
Nicht-Treter (»nicht der Justin«) oder Nicht-Opfer: »nicht
den Justin«. Je nachdem, in diesem Falle sogar: je nach dem
Justin.

In Sprachgebieten, die noch stärker von Dialekten be-
einflusst sind, hauptsächlich also in Mittel- und Süddeutschland, werden Vornamen grundsätzlich nur mit be-
stimmtem Artikel gebraucht. In Bayern und in Österreich
konnten *die* Rosie und *der* Bruno schon zu allen Zeiten genauso gut zwei Menschen wie zwei Viecher sein, ohne dass
irgendjemand daran Anstoß genommen hätte.

Im Zusammenhang mit der Frage, ob Vornamen einen
Artikel verdienen oder nicht, drängt sich noch eine weitere auf: Sind Frauen wirklich weiblich? Das scheint nämlich längst nicht überall ganz eindeutig zu sein. Nehmen

wir nur mal Henrys Tanzpartnerin Uschi. Die ist in jungen Jahren viel herumgekommen. In Kiel und Hamburg hieß sie einfach Uschi, in Nürnberg und Regensburg rief man sie »die Uschi«, und in Köln und in Essen war sie »dat Uschi«.

Im Rheinland und angrenzenden Regionen werden Frauennamen traditionell mit dem bestimmten sächlichen Artikel (»dat«) versehen: dat Gerda, dat Uschi, dat Chantal. Dat kann man auch heute noch so hören. Frauenbewegung und Gleichberechtigung vermögen den Kölner offenbar nicht aus der Ruhe zu bringen. Beim Thema Frauen bleibt er ganz sachlich – genauer gesagt sächlich.

Meine Freundin Jana hörte es überhaupt nicht gern, wenn ihr Name in Verbindung mit einem weiblichen Artikel genannt wurde. Denn allzu leicht konnte der falsche Eindruck entstehen, sie heiße Diana. »Es heißt nicht *die* Jana, sondern einfach nur Jana«, musste sie immer wieder klarstellen. Einige nannten sie deswegen sogar schon Lady Di(e). Ich kann verstehen, dass einem das auf Dauer lästig wird. Seit ein paar Jahren lebt Jana nun im Saarland und fühlt sich dort sehr wohl. »Die reden hier zwar alle völlig unverständlich, aber immerhin sagt niemand mehr *die* Jana«, erklärte sie mir. »Für die Leute hier in Saarbrücken bin ich *es* Jana.«

Der bestimmte sächliche Artikel (Hochdeutsch »das«) ist im Saarländischen »es«, und das weibliche Pronomen »sie« ist ein »ähs«. Für jemanden, der aus Norddeutschland kommt, mag das im ersten Moment recht seltsam sein, aber Jana hat sich schnell daran gewöhnt. »Wenn ich *es* Jana bin, kann ich nicht mehr *Diana* sein – oder *Lady Die.*« Glückliche Jana! Manch einer mag einen Umzug ins Saarland als

Abstieg empfinden – für Jana war's ein Aufstieg. Ein Aufstieg in die Es-Klasse!

»Es« einen Freud, der anderen Leid: Eine Leserin, deren Name tatsächlich Diana lautet, machte mich auf eine weitere Variante der Namensverwechslung aufmerksam. Seit sie nach Bayern gezogen sei, müsse sie immer wieder mit dem Missverständnis aufräumen, ihr Name sei Anna. Denn wenn sie sich als »Diana« vorstellt, verändert das bayerische Ohr das automatisch in »die Anna«. Wie bin ich froh, dass ich nicht Derrick heiße!

Willkommen in der Marzipanstadt

So wie Menschen sich gern mit Titeln schmücken, so tragen auch immer mehr Städte einen Namenszusatz: Messestadt, Universitätsstadt, Festspielstadt. Zur Not tut es auch ein Dom, ein Kaiser oder eine römische Ruine.

Gelegentlich kommt es vor, dass zwei kleinere Ortschaften zu einer größeren vereint werden. Dabei entstehen dann kuriose Doppelnamen wie Hellenhahn-Schellenberg, Billigheim-Ingenheim, Orsingen-Nenzingen oder Peterswald-Löffelscheid.

So etwas geschah auch mit dem schönen Städtchen Wittenberg. Es wurde irgendwann mit einem Ort namens Lutherstadt vereint, und seitdem gibt es den Namen Wittenberg nicht mehr allein. Seitdem ist nur noch von »Lutherstadt Wittenberg« die Rede. Auf allen Ortsschildern, auf den Tafeln im Bahnhof, auf Ansichtskarten und auch im Internet, überall kann man es so lesen. Wie ich zu meiner Schande gestehen muss, kannte ich bislang nur Wittenberg. Von einem Ort namens Lutherstadt hatte ich zuvor nie gehört. Aber man lernt bekanntlich nie aus.

Wenn Sie jetzt die Hände über dem Kopf zusammenschlagen und rufen: »Das darf ja wohl nicht wahr sein, der will mich wohl veräppeln – Lutherstadt ist doch nur ein Beiname für eine Stadt, in welcher der Reformator Martin Luther gewirkt hat!«, dann seien Sie beruhigt – das ist mir schon klar. Aber vielen anderen, gerade jüngeren Menschen ist dies nicht klar – denn bei der Hartnäckigkeit, mit der von »Lutherstadt Wittenberg« gesprochen und dabei der Artikel weggelassen wird, bleiben Missverständnisse nicht aus. Selbst der Zugführer im ICE spricht es wie einen Doppelnamen aus: »In wenigen Minuten erreichen wir Lutherstadt Wittenberg.« Wenn er sagte »In wenigen Minuten erreichen wir *die* Lutherstadt Wittenberg«, dann wäre die Sache klar. Doch so klingt es irritierend. Ich komme ja auch nicht »aus Hansestadt Hamburg«, sondern allenfalls aus *der* Hansestadt Hamburg. Aber meistens genügt mir ein schlichtes »Ich komme aus Hamburg«. Wittenberg ist übrigens nicht die einzige Stadt, die sich mit dem Namen des Reformators Martin Luther schmückt, auch Eisleben nennt sich Lutherstadt. Dem »Bund der Lutherstädte« gehören insgesamt sogar nicht weniger als 15 Städte an.

Natürlich ist nichts dagegen einzuwenden, wenn eine Stadt sich ihrer Geschichte und ihrer berühmten Söhne und Töchter besinnt und diese stolz nach außen kehrt. Bedenklich wird es nur, wenn der Name der Stadt hinter dem Beinamen verblasst.

Zwischen 1953 und 1990 hieß die sächsische Stadt Chemnitz Karl-Marx-Stadt. Nicht etwa »Karl-Marx-Stadt Chemnitz«, so wie »Lutherstadt Wittenberg«, sondern nur Karl-Marx-Stadt. Der Name »Chemnitz« war abgeschafft worden. Während der Wende beschlossen die Chemnitzer dann, ihre Stadt wieder umzubenennen. Sie hatten ohnehin nie »Karl-Marx-Stadt« gesagt, sondern eher etwas in der Art wie »Gorl-Morks-Stott«. Der Name Karl Marx war also wieder frei. Eigentlich hätte sich daraufhin seine Geburtsstadt Trier den Beinamen »Karl-Marx-Stadt« zulegen können, aber die nennt sich lieber Römerstadt oder Kaiserstadt. Kaiserstädte gibt es allerdings mehrere, Domstädte erst recht, und die Zahl der Messestädte und Universitätsstädte ist kaum noch zu überblicken. Auch Rosenstädte, Gartenstädte, Bierstädte und Weinstädte gibt es zuhauf,

und selbst Filmstädte und Chemiestädte finden sich mehrfach auf der deutschen Landkarte.

Glücklich, wer da mit einem Prädikat werben kann, das einzigartig ist. So wie die »Leineweberstadt Bielefeld« oder die »Rattenfängerstadt Hameln«. Auf einer meiner Lesereisen durchs wilde Westfalen hielt der Zug in einem Ort namens Bünde, der sich, wie ich dem Hinweisschild auf dem Bahnsteig entnehmen konnte, »Zigarrenstadt« nennt. So erfährt der Reisende, dass dieser Ort weit mehr ist als nur ein »Mittelzentrum«, das »Versorgungsfunktionen für einen überörtlichen Raum« erfüllt, wie es im Landesentwicklungsplan Nordrhein-Westfalens über Bünde heißt.

Wer nicht mit einem berühmten Dichter oder Komponisten aufwarten kann, bedient sich halt bei den Bösewichten und Schelmen, so wie die »Störtebekerstadt Ralswiek« und die »Eulenspiegelstadt Mölln«.

Berlin ist nicht nur die bevölkerungsreichste Stadt Deutschlands, sondern mit mehr als 100.000 registrierten Haushunden auch die Stadt mit dem größten Hundebestand. Darauf scheint man aber nicht besonders stolz zu sein, jedenfalls sind Hinweise auf die »Hundestadt Berlin« nur spärlich gesät. Die schöne Stadt Bonn, ehemals bekannt als Bundeshauptstadt ohne nennenswertes Nachtleben, darf sich seit dem Umzug der Bundesregierung immerhin noch »Bundesstadt« nennen. Und seit vor wenigen Jahren die Vereinten Nationen in Bonn ansässig geworden sind, ist Bonn auch UN-Stadt. Man muss beim Schreiben nur darauf achten, dass die automatische Rechtschreibkorrektur den zweiten Großbuchstaben nicht in einen kleinen verwandelt, denn dann gerät Bonn zur Un-Stadt.

Einigen Städten scheint ein einzelner Zusatz längst nicht mehr zu reichen. Bayreuth mag sich nicht damit begnügen, nur mit Richard Wagner assoziiert zu werden. Die Stadt nennt sich »Festspiel- und Universitätsstadt«. Obwohl es fairerweise »Festspiel- oder Universitätsstadt« heißen müsste, denn die Chancen, an Festspielkarten zu gelangen, stehen für Studenten ziemlich schlecht.

Namenszusätze machen eine Stadt aber nicht unbedingt bedeutender, in der Fülle lassen sie sogar auf eine Profilneurose schließen. Ein schlichtes »Willkommen in Gießen« oder »Willkommen in Tübingen« lässt dem Besucher noch ein paar Illusionen, es regt seine Fantasie an und macht ihn womöglich neugierig, diese Stadt zu entdecken, die sich so selbstbewusst und unprätentiös präsentiert. Wenn er aber mit den Worten »Willkommen in der Messe- und Universitätsstadt« empfangen wird, hat er bereits am Bahnhof die Gewissheit, in der Provinz angekommen zu sein.

Der Trend zur Namensverlängerung ist allerdings kaum noch aufzuhalten. Vielleicht werde ich in nicht allzu ferner Zukunft am Bahnhof meiner Geburtsstadt Lübeck von einer Lautsprecherstimme mit den Worten begrüßt: »Willkommen in der Hanse-, Mann- und Marzipanstadt Lübeck!« Dann kann ich eigentlich gleich sitzenbleiben und durchfahren bis zur »Förde-, Landeshaupt- und Universitätsstadt Kiel«.

Eine Auswahl deutscher Städte mit bemerkenswerten Beinamen (offiziellen und inoffiziellen)

Altenburg (Thüringen)	Skatstadt
Bad Säckingen (Baden-Württemberg)	Trompeterstadt
Bautzen (Sachsen)	Senfstadt
Beckum (NRW)	Zementstadt
Beelitz (Brandenburg)	Spargelstadt
Bielefeld (Niedersachsen)	Leineweberstadt
Bonn (NRW)	Bundesstadt, UN-Stadt
Bremen	Stadtmusikantenstadt
Bünde (NRW)	Zigarrenstadt
Döbeln (Sachsen)	Stiefelstadt
Essen (NRW)	Einkaufsstadt
Geldern (NRW)	Landlebenstadt
Gifhorn (Niedersachsen)	Zickenstadt
Glashütte (Sachsen)	Uhrenstadt
Grevenbroich (NRW)	Bundeshauptstadt der Energie

Eine Auswahl deutscher Städte mit bemerkenswerten Beinamen
(offiziellen und inoffiziellen)

Hameln (Niedersachsen)	Rattenfängerstadt
Hohenmölsen (Sachsen-Anhalt)	Schwurhandstadt
Karlsruhe (Baden-Württemberg)	Fächerstadt
Kassel (Hessen)	documenta-Stadt
Kiel (Schleswig-Holstein)	Fördestadt, Handballhauptstadt
Lage (NRW)	Zieglerstadt, Zuckerstadt
Leipzig (Sachsen)	Buchstadt
Lüneburg (Niedersachsen)	Salzstadt
Mannheim (Baden-Württemberg)	Quadratestadt
Markgröningen (Baden-Württemberg)	Schäferlaufstadt
Meckenheim (NRW)	Apfelstadt
Mölln (Schleswig-Holstein)	Eulenspiegelstadt
Neubrandenburg (Brandenburg)	Vier-Tore-Stadt
Nürnberg (Bayern)	Meistersingerstadt, Lebkuchen-stadt
Osnabrück (Niedersachsen)	Friedensstadt
Passau (Niederbayern)	Dreiflüssestadt
Pforzheim (Baden-Württemberg)	Goldstadt
Solingen (Nordrhein-Westfalen)	Klingenstadt
Ströbeck (Sachsen-Anhalt)	Schachdorf
Waltershausen (Thüringen)	Puppenstadt
Witzenhausen (Hessen)	Kirschenstadt
Woldegk (Mecklenburg-Vorpommern)	Windmühlenstadt
Wuppertal (NRW)	Schwebebahnstadt

Heute schon gegronsen?

Das Perfekt hat seine Prinzipien. Genauer gesagt: seine Partizipien. Doch die sind alles andere als eindeutig. Warum sind sa-
genumwobene Schätze nicht einfach sagenumwebt? Warum hat
die Erde gebebt und nicht geboben? Was wäre, wenn alle Verben
unregelmäßig wären?

Beim Umgang mit unregelmäßigen Verben geraten wir
Deutschen regelmäßig ins Schleudern. Ich selbst kann
mich da nicht ausnehmen. Anlässlich des rustikalen Toll-
wood-Festivals in München habe ich zum ersten Mal in
meinem Leben eine Kuh gemolken. Das war neu und aufregend für mich – und offenbar auch verwirrend, denn in
einem anschließenden Interview verstieg ich mich zu der
Behauptung, ich hätte die Kuh »gemelkt«. Zum Glück hat
die Zeitung das nicht gedrucken.

Die Unterscheidung zwischen regelmäßigen und unregelmäßigen Verben macht einem das Erlernen der deutschen Sprache nicht gerade leichter. Die regelmäßigen
zeichnen sich dadurch aus, dass sie ihren Hauptklang in
allen Zeitformen behalten: ich lache, ich lachte, ich habe
gelacht – immer ein »a«. Er siegt, er siegte, er hat gesiegt –
immer ein »ie«. Sie kreischt vor Vergnügen, sie kreischte
vor Vergnügen, sie hat vor Vergnügen ... ja, meine Freundin Sibylle hätte jetzt »vor Vergnügen gekrischen«, aber
erstens ist Sibylle in sprachlicher Hinsicht eine Ausnah-
meerscheinung, und zweitens ist kreischen ein regelmäßiges Verb. Das Ei von »kreischen« bleibt auch im Perfekt
ein Ei.
Die unregelmäßigen Verben dagegen verändern ihren
Klang. So wie bei »denken« zum Beispiel: Ich denke, ich

25

dachte, ich habe … ja, das hab ich mir natürlich gleich gedacht, dass die Schwaben an dieser Stelle »I han mir denkt« murmeln.

Eine Leserin wollte von mir wissen, warum sie denn immer so komisch angeguckt würde, wenn sie sagt, sie habe beim Abbiegen »geblunken«. Ob das womöglich nicht richtig sei. Also, um eines klarzustellen: Selbstverständlich ist es richtig, beim Abbiegen zu blinken. Man sollte den Blinker sogar schon betätigen, bevor man abbiegt, um seine Absicht anzuzeigen. Mit einem nachträglichen Blinken ist niemandem gedient, daher ist die Frage, wie »blinken« im Perfekt heißt, eigentlich zweitrangig.

Wer beim Abbiegen allerdings weder geblinkt noch geblunken hat, darf sich auch nicht wundern, wenn er von einem anderen Fahrzeug gestriffen wird.

Es gibt Verben, bei denen ist man sich nie wirklich sicher. Wie lautet das Perfekt von »niesen«? Geniest, genießt, geniesen – oder gar genossen? Manch einer mag das Niesen genießen, der kann von sich behaupten, er habe es genossen, geniest zu haben. Und in Ostdeutschland konnte man noch bis 1989 die Frage hören: »Wer von euch hat geniest, Genossen?«
Werden elektronische Informationen versendet oder versandt? Im Zweifelsfall ist beides möglich. Ich habe oft das Gefühl, das vieles von dem, was tagtäglich so versendet wird, am Ende irgendwo versandet. Für manch einen hat die Sonne nicht geschienen, sondern gescheint. Schließlich hat der Himmel ja auch nicht gewienen, sondern geweint.
Warum muss es überhaupt zwei Arten von Verben geben? Wäre es nicht viel leichter, wenn alle regelmäßig wären?
Ich breche, ich brechte, ich habe gebrecht – das wäre doch viel leichter zu lernen und zu behalten! Dann würde im Deutschen nicht mehr so viel »radegebrochen«.
Allerdings wäre es auch langweiliger. Viel interessanter wäre es doch, wenn alle Verben gleichermaßen unregelmäßig wären!
Noch aus seligen Schulzeiten kenne ich die Frage: »Selbst gekauft oder geschonken gekrochen?« Man machte sich einen Spaß daraus, Partizipien zu vertauschen und neue Ableitungen zu bilden. Gekrochen ist ja richtig, das kommt von »kriechen«, man kriecht etwas zum Geburtstag – aber »schenken, schank, geschonken« – das ist doch um einiges klangvoller als »schenken, schenkte, geschenkt«. Wenn man sich an diesen Gedanken erst einmal gewohnen hat, dann kann man viel Spaß mit den Verben haben!

Der Löwe brüllt, die Löwin broll, das ganze Rudel hat gebrollen.

Der Lehrer grinst, die Schüler gransen, die ganze Klasse hat gegronsen.

Das klingt doch total verschärft – um nicht zu sagen verschorfen!

Ein Charakter mit Ecken und Kanten, der im Präsens aneckt, der ak in der Vergangenheit an und ist im Perfekt angeocken. Und der Kerl, der sich völlig verausgabt hatte, der war am Ende total abgeschloffen.

Stellen Sie sich vor, Sie verabreden sich mit einer attraktiven Frau, Sie haben womöglich Karten für ein Konzert oder fürs Theater, und da steht die Schöne vor Ihnen, und Sie sagen: »Toll siehst du aus!«, und sie erwidert: »Das will ich auch hoffen, ich hab mich schließlich stundenlang aufgebrolzen!« Brezeln, bralz, gebrolzen – darin steckt doch geradezu Musik!

Selbst das Furzen wird zu einem musikalischen Forzato, wenn man es unregelmäßig konjugiert: Er furzt, er forz, er hat geforzen. Darauf können Sie einen lassen!

Irgendwann sind die Rosen dann verwolken, der letzte Hotelgast ist abgerissen, und unsere Träume sind geplotzen.

Und wenn Sie sich jetzt fragen: Was hat der Autor mit dieser Geschichte überhaupt bezwacken, dann haben Sie gut zugehoren und das Prinzip verstunden. Für Ihre Aufmerksamkeit sei Ihnen von Herzen gedonken!

Der mit dem Maul wirft

Sind Windhunde schnell wie der Wind? Reifen Schattenmorellen am besten im Schatten? Wurden am Rosenmontag einst Rosen unters Volk geworfen? Die Antwort lautet in allen Fällen: nein! Denn keines der Wörter hat mit dem zu tun, wonach es aussieht.

Ich war gerade sieben Jahre alt, als ich zum ersten Mal von einer äußerst mysteriösen Krankheit hörte, die offenbar sehr gefährlich war. Ich kannte bis dahin nur Windpocken, Masern und Scharlach – nichts, was sich nicht mit Bettruhe, Gummibären und Comicheften kurieren ließ. Aber nun war ein Mitschüler an Hepatitis erkrankt. Die Schulleitung war sehr besorgt, und aus Angst vor einer Ansteckung wurden wir alle nach Hause geschickt. Hepatitis sagte damals allerdings nur der Arzt, die Leute bei uns im Dorf sprachen von Gelbsucht.

Ich verstand etwas anderes, »Gelbsucht« ergab für mich nämlich keinen Sinn, denn wie sollte man nach einer Farbe süchtig werden können? Meiner Mutter erklärte ich, dass ein Kind in meiner Klasse die Geldsucht bekommen habe. Ich machte mir viele Gedanken deswegen. Konnte man an Geldsucht sterben? Oder darüber den Verstand verlieren? Hatte ich mich womöglich schon angesteckt? Immerhin hatte ich in letzter Zeit doch häufiger daran gedacht, meinen Vater um eine Taschengelderhöhung zu bitten! Eine große Angst erfasste mich. Ich nahm mein Sparschwein, gab es meiner Mutter und bat sie, es bis auf Weiteres vor mir zu verstecken. Als ich schließlich erfuhr, dass die Krankheit gar nichts mit Geld zu tun hat, war ich sehr erleichtert.

Derlei Missverständnisse kennt wohl ein jeder von uns. Meine Freundin Sibylle glaubte als Kind an Knecht Huprecht, an Renntiere und an Eisbärsalat. »Wat man nich' selber weiß, dat muss man sich erklären«, wusste der großartige Jürgen von Manger zu singen, und so haben sich die Menschen immer schon ihren eigenen Reim auf Dinge gemacht, die sie nicht verstanden.

Das ist ein ganz natürlicher Vorgang, dem unsere Wörterbücher einige schöne, klangvolle Einträge zu verdanken haben. Im Laufe der Sprachgeschichte ist so manche Wortbedeutung in Vergessenheit geraten, und wann immer man sich unter einem bestimmten Wort nichts mehr vorstellen konnte, hat man stattdessen ein anderes gewählt, das ähnlich klang. Nicht selten erfuhr das Wort dadurch eine neue Deutung, die mit dem ursprünglichen Sinn nicht viel zu tun haben musste. So entstanden Wörter wie Affenschande, Windhund und Rosenmontag.

Letzterer hat seinen Namen nämlich nicht etwa von Rosen, sondern vom Rasen. »Rasender Montag« sagte man einst, weil das feierlustige Volk schon zu früheren Zeiten am Rosenmontag außer Rand und Band geriet. Der Windhund mag vielen zwar »schnell wie der Wind« erscheinen, doch verdankt er seinen Namen dem slawischen Volk der Wenden: Windhund bedeutet »wendischer Hund«. Und auch die Affenschande ist nicht das, wonach sie aussieht, jedenfalls hat sie nichts mit Affen zu tun. Der niederdeutsche Ausdruck »aapen schann« bedeutete nichts anderes als »offene (öffentliche) Schande«.

Um herauszufinden, was der Name »Maulwurf« ursprünglich bedeutete, muss man ziemlich tief graben. Im frühen Mittelalter hieß der Maulwurf noch »muwerf«, das bedeu-

tete »Haufenwerfer«. Der erste Teil des Wortes ging auf das angelsächsische Wort *muga* oder *muha* für Haufen zurück. Ein paar Jahrhunderte später war aus dem »muwerf« ein »moltwerf« geworden; denn »molt« war im Mittelhochdeutschen das Wort für Erde und Staub. Dieses wurde über »mult« zu »mul«, bis es schließlich gar nicht mehr verwendet wurde, sodass man sich die Bedeutung des Wortes »mulwurf« nicht mehr erklären konnte und »mul« durch das ähnlich klingende »Maul« ersetzte. Und so wurde aus dem Erdwerfer schließlich der, der mit dem Maul wirft.

In der Sprachwissenschaft werden solche Neudeutungen von Wörtern »Volksetymologie« genannt. Anders ausgedrückt: Wir basteln uns eine neue Herkunftserklärung und passen, wenn nötig, die Schreibweise des Wortes ein wenig an. So etwas geschah vor allem bei der Übernahme von Fremdwörtern. So machten die Deutschen aus dem indianischen Wort *hamáka* die Hängematte. Und jene aus Frankreich stammende Sauerkirsche, nach ihrem Herkunftsort »Château de Moreille« genannt, wurde im Deutschen zur Schattenmorelle. Die Annahme, diese Kirschensorte gedeihe besonders im Schatten, trifft folglich nicht zu.

Ein weiteres schönes Beispiel ist der Tolpatsch. Er geht zurück auf das ungarische Wort *talpas*, eine scherzhafte Bezeichnung für einen Fußsoldaten, abgeleitet vom ungarischen Wort *talp* für »Fußsohle«. Für die Österreicher, die den Begriff von den Ungarn übernahmen, war ein Tolpatsch daher zunächst ein Soldat, der eine unverständliche Sprache sprach. Später wurde diese Bedeutung zu einem ungeschickten Menschen erweitert. Im Zuge der Rechtschreibreform erfuhr der ungarische Tolpatsch dann eine weitere Anpassung ans Deutsche, denn nunmehr schreibt man ihn – in Anlehnung an Wörter wie Tollhaus und Tollwut – mit Doppel-l: Tollpatsch.

Andere Völker machten es übrigens genauso. Der englische Notruf »Mayday« ist eine volksetymologische Ableitung des französischen »(Venez) m'aider«, auf Deutsch »Helft mir!« oder »Rettet mich!«. Auch das Wort Tennis ist eine klangliche Übernahme aus dem Französischen. Es kommt von dem Ausruf »Tenez!« (»Da!«, »Sehen Sie!«), mit dem die Spieler ihren Aufschlag ankündigten. Ursprünglich wurde Tennis nicht mit Schlägern, sondern mit bloßen Händen gespielt. Der alte französische Name des Spieles lautet »Jeu de Paume«, wörtlich übersetzt: Handflächenspiel.

Das kuriose Wort »Fisimatenten« wird gern als Übernahme aus dem Französischen erklärt. Es soll sich um die Verballhornung von »Visitez ma tente« handeln, einer Einladung, mit der die napoleonischen Besatzungssoldaten angeblich deutsche Frauen in ihr Zelt zu locken versuchten. Doch erstens ist es sehr unwahrscheinlich, dass es den Soldaten erlaubt war, Frauen in ihren Zelten zu empfangen, zweitens ist das Wort bereits seit dem 16. Jahrhundert verbürgt und geht höchstwahrscheinlich auf das mittelhochdeutsche Wort »visamente« zurück, welches »Zierrat« bedeutete.

Klangliche Angleichungen und damit verbundene Umdeutungen von Wörtern hat es früher oft gegeben, es gibt sie aber auch noch heute. Ein berühmtes Beispiel aus der jüngeren Zeit ist der Ballermann. Dabei handelt es sich um eine Verball(ermann)hornung des spanischen Wortes »balneario«. Wer jemals in S'Arenal auf Mallorca gewesen ist, der wird kaum glauben können, was das Wort »balneario« eigentlich bedeutet: Badeort, Kurbad. Im Spanischen versteht man darunter einen Ort der Ruhe und der Erholung. Ay caramba!

Rindswahn und anderer Schweinekram

Ob wir sie nun lieber gebraten oder gekocht mögen: Unser Verhältnis zu Kühen und Schweinen ist kompliziert. Auch in grammatischer Hinsicht. Was ist korrekt: Schweinshaxe oder Schweinehaxe, Rindsbraten oder Rinderbraten? Werfen wir einen Blick in das große Kochbuch der deutschen Sprache.

Ein paar Jahre lang war ich mal Vegetarier, aber am Ende hat die Fleischeslust doch gesiegt. Tut mir leid, Schweinchen Babe! Eines hat sich allerdings nicht geändert: Das Thema Fleisch bringt mich immer wieder in Erklärungsnot. Früher war es der ethische Aspekt, heute ist es der grammatische. Denn unsere Sprache gibt sich recht konfus, wenn es um Fleisch geht. Genauer gesagt, um die Zusammensetzungen aus fleischlichen Wörtern.

Nimmt man sich nur mal das Schwein vor, so stößt man alsbald auf eine einzige sprachliche Sauerei: Es gibt Schweinebauch und Schweinebraten mit einem »e« in der Mitte, aber Schweinsohren und Schweinsleder mit einem »s«. Wer es eilig hat, der erledigt Dinge im Schweinsgalopp. Und wer eine Ferkelei anrichtet, der macht nicht etwa Schweinekram oder Schweinskram, sondern einfach Schweinkram.

»Musst du Fleisch vom Schwein gar nicht essen«, sagt mein türkischer Nachbar, »dann hast du auch diese Probleme nischt!« Dieser sicherlich gut gemeinte Rat hilft aber nicht weiter, denn beim Rind sieht es nicht besser aus. Da gibt es Zusammensetzungen mit »er«, dann gibt es welche mit »s« und schließlich solche ohne alles: Rinderroulade, Rindsbraten und Rindvieh.

Mal wird die Zusammensetzung also von der Einzahl »Rind« gebildet, mal von der Mehrzahl »Rinder«. Das kann daran liegen, dass mit dem Wort »Rind« sowohl ein einzelnes Tier als auch die ganze Art gemeint sein kann. Auf jeden Fall lässt sich ein regionaler Unterschied feststellen: Im norddeutschen Sprachraum sind Zusammensetzungen mit »Rinder« üblich (Rinderbraten, Rinderbrühe, Rinderfilet), im süddeutschen Sprachraum sowie in Österreich und in der Schweiz Zusammensetzungen mit »Rinds«: Rindsbraten, Rindsbrühe, Rindsfilet. Das kann man sich noch irgendwie merken.

Dies gilt aber nur, wenn es sich um Fleischerzeugnisse handelt. Denn die Rinderherde und die Rinderauktion sind auch für den Bayern keine Rindsherde und keine Rindsauktion. Umgekehrt gibt es dafür kein »Rinderleder«, auch wenn Google mehr als 28.000 Treffer für »Rinderleder« ausspuckt. Der Duden führt nur die Formen »Rindsleder« und »Rindleder«.

Und die Erklärung mit der nord- und süddeutschen Behandlung von Fleischerzeugnissen scheitert ausgerechnet am Wort »Rindfleisch« selbst; denn so wenig, wie man im Norden »Rinderfleisch« sagt, so wenig sagt man im Süden »Rindsfleisch«. Die Suche nach einer befriedigenden Antwort auf diese Ungereimtheiten endet zwangsläufig im Rinderwahn. Mein Freund Henry erteilte mir unlängst den Rat: »Zerkau nicht die Wörter, sondern das Fleisch!«

Beim Kalb wird's etwas übersichtlicher: Die meisten Zusammensetzungen haben ein Fugen-s: Kalbsbrust, Kalbsleber, Kalbsschnitzel, Kalbsragout. Nur bei wenigen Ausnahmen kann das »s« fehlen: Kalbsfell und Kalbsleder gibt es auch als Kalbfell und Kalbleder.

Beim Kalbfleisch indes wird laut Duden grundsätzlich auf das Fugen-s verzichtet (woran sich aber viele Kochrezepte nicht halten). Wenn es um das Tier und nicht nur um Tierprodukte geht, dann wird der Plural verwendet: Kälberaufzucht, Kälberfutter, Kälberstall. Und wie steht's mit dem Mist im Kälberstall? Ist der nicht auch ein Tierprodukt? Demnach müsste er Kalbsmist heißen und nicht Kälbermist.

Kommt der Wolf eigentlich im Schafspelz daher oder nur im Schafpelz? Beides ist möglich, sonst wäre es ja auch zu leicht! Das Schaf gilt als so dumm, dass es im Grunde völlig egal ist, ob es bei Zusammensetzungen ein Fugen-s erhält oder nicht: Schafsmilch ist genauso gut wie Schafmilch, Schafskäse genauso recht wie Schafkäse. Die meisten Wollpullover sind aus Schafwolle, aber es gibt auch welche aus Schafswolle. Bei den Schafprodukten herrscht Beliebigkeit, und die Frage, ob es »Schafffleisch« oder »Schafsfleisch« heißt, stellt sich gar nicht erst, da auf allen Speisekarten immer nur Hammelfleisch oder Lammfleisch angeboten wird. Ist das Schaf indes als lebendes Tier gemeint, so kommt es ohne Fugen-s aus: Schafbock, Schafweide, Schafzucht.

Noch unerhörter verhalten sich die geflügelten Wörter: Man nehme ein einzelnes Suppenhuhn und verarbeite es zu einer schmackhaften Suppe. Was kommt dabei heraus – Huhnsuppe? Keinesfalls! Hühnersuppe heißt das Resultat! Auf wundersame Weise wurde hier das Huhn vermehrt. Wer Gänsebraten bestellt, darf trotz allem nur mit dem Braten von *einer* Gans rechnen. Eigentlich müsste man es daher Gansbraten nennen. Aber beim Geflügel zählt offenbar in erster Linie die Quantität. Wer hält sich auch schon ein einzelnes Huhn oder eine einzelne Gans?

So kann selbst die eigenbrötlerischste Gans immer nur kollektiv Gänseeier legen, niemals ein Gansei. Anders der Schwan: Der legt keine Schwäneeier, sondern Schwaneneier. Aber den Schwan und seine Eier essen wir ja auch nicht. Jedenfalls nicht mehr. (In früheren Zeiten galt Schwanenbraten als Delikatesse.)

Ein jeder hat schon mal eine Hühnerbrust gesehen, aber bestimmt keine Perlhühnerbrust. Wenn das Geflügel mit einem Vorsatz versehen wurde, wird es plötzlich wieder singularisiert: Wildgansbraten, Zwerghuhnei, Graugansküken, Perlhuhnbrust. Dies gilt wiederum nicht für Geflügel, das mit einem »e« endet, so wie die Ente, die Pute und die Taube. Die Stockentenbrust ziert genauso ein »n« wie die gewöhnliche Entenbrust. Spätestens an dieser Stelle dürfte mancher Ausländer beschließen, den Deutschkurs abzubrechen und doch lieber eine leichtere Sprache zu lernen. Ich könnte es ihm nicht verübeln!

Bei Kalbfleisch und Rindfleisch wird auf das Fugenzeichen verzichtet. Beim Schweinfleisch aber nicht, das gibt es nur als Schweinefleisch. Und Huhnfleisch und Gansfleisch gibt es schon gar nicht, es sei denn, man setzt noch etwas davor. Das finden Sie unlogisch? Ich auch. In dieser Angelegenheit ist unsere Grammatik der reinste Schweinestall. Oder Schweinsstall? Nun ja, ein Saustall eben.

Die weibliche Mut

Mut ist von alters her eine männliche Eigenschaft. Darum heißt es der Edelmut, der Freimut, der Hochmut. Klare Sache. Doch was ist mit Wörtern wie Anmut, Demut und Schwermut? Die sind weiblich! Sollte der Mut am Ende weniger männlich sein als gedacht?

Beim Erlernen einer Fremdsprache ist man überaus dankbar, wenn man anhand bestimmter Endungen das Geschlecht eines Wortes erkennen kann. Im Italienischen zum Beispiel gilt die Regel, dass Wörter, die auf -o enden, fast immer männlich sind: il vino, il cappuccino, il palazzo. Wörter auf -a hingegen sind – bis auf wenige Ausnahmen – weiblich: la gondola, la signora, la pizza.

Auch im Deutschen gibt es Endungen, die auf das Geschlecht eines Hauptwortes hindeuten. Wörter, die auf -ung enden, sind ausnahmslos weiblich: die Ahnung, die Berührung, die Zeitung. (Und wer jetzt einwenden will, das Wort »Kuhdung« sei aber männlich, der läuft Gefahr, auszurutschen und in selbigem zu landen.)

Bei einigen Endungen ist die Zuordnung des Geschlechts jedoch alles andere als eindeutig. Wörter auf -tum sind mehrheitlich sächlich: das Brauchtum, das Königtum, das Wachstum. Das gilt aber nicht für das Wort »Reichtum«. Das Anhäufen von Reichtümern hatte offenbar schon immer etwas Männliches. Wer dahinter einen sprachlichen Chauvinismus vermutet, der sei getröstet: Auch »der Irrtum« ist männlich!

Einen schwankenden Gebrauch des Geschlechts kann man auch bei Wörtern mit der Endung -nis beobachten: Die meisten von ihnen sind sächlich, so auch das Ereignis und das Ergebnis; doch die Erlaubnis und die Erkenntnis sind weiblich. Nicht einmal bei einer so selten auftretenden Endung wie -sal gibt es eine hundertprozentige Verlässlichkeit: Schicksal und Labsal sind sächlich, Mühsal und Trübsal sind weiblich.

Ein besonderes Interesse wecken Wörter, die auf -mut enden. Immer wieder wollen Leser von mir wissen, warum der Übermut und der Edelmut männlich seien, die Wehmut und die Schwermut aber weiblich. »Mut« sei doch ein männliches Wort, warum sind dann nicht auch alle Zusammensetzungen männlich? Die Frage ist berechtigt – und nicht ganz leicht zu beantworten. Das Geschlecht hängt nämlich von der Qualität der jeweiligen Eigenschaft ab. Wobei die Grammatik hier nicht zwischen guten (z. B. Edelmut, Freimut, Sanftmut) und schlechten (z. B. Missmut, Wankelmut, Unmut) Gemütszuständen unterscheidet, sondern zwischen lauten und leisen. Genauer gesagt zwischen nach innen gekehrten und nach außen gekehrten.

»Extrovertierte Affektbegriffe sind meist maskulin, introvertierte meist feminin«, heißt es in einem Grammatikwerk. Ob solch verblüffender Erkenntnis würde Mister Spock von der »Enterprise« die Augenbrauen hochziehen und sagen: »Faszinierend!« Welch ein Licht wirft dies wiederum auf das Verständnis von Männlichkeit und Weiblichkeit! Hochmut, Übermut und Wagemut werden als extrovertiert und männlich empfunden, Sanftmut, Wehmut und Schwermut als weiblich-introvertiert. Ob das noch zeitgemäß ist? Wenn ich drüber nachdenke, fallen mir mehr schwermütige Männer als Frauen ein, und die Zahl der mir bekannten edelmütigen Frauen dürfte nicht kleiner sein als die der edelmütigen Männer.

Viel rätselhafter aber ist für mich die Tatsache, dass eine derart feine Unterscheidung wie die zwischen extrovertierten und introvertierten Affekten bereits in früheren Jahrhunderten ihren Niederschlag in der Grammatik finden konnte. Woher nahmen die Menschen zu jener Zeit, als Wörter wie Hochmut, Kleinmut, Langmut und Großmut entstanden, jenes hoch entwickelte Sprachgefühl, das es ihnen erlaubte, zwischen nach innen und nach außen gewandten Eigenschaften zu unterscheiden? Heute kann zwar fast jeder Deutsche irgendwie lesen und schreiben, und jeder zweite war auch schon mal im Fernsehen oder im Radio, aber nur die wenigsten sind in der Lage, ihre Gemütszustände zu beschreiben, geschweige denn, ihnen eine grammatische Qualität zuzuweisen.

Als ich das Phänomen der mutigen Wörter, die mal männlich und mal weiblich sind, vor einer 6. Schulklasse ansprach, meldete sich einer der Schüler ganz aufgeregt und rief: »Bei uns daheim ist das auch so! Meine Mama heißt Almut und mein Papa heißt Helmut!«

Die Mut/Der Mut

weiblich: die Anmut, die Armut, die Demut, die Großmut, die Langmut, die Sanftmut, die Schwermut, die Wehmut

männlich: der Edelmut, der Freimut, der Gleichmut, der Hochmut, der Kleinmut, der Lebensmut, der Missmut, der Todesmut, der Übermut, der Unmut, der Wagemut, der Wankelmut, sowie »der Mut« allein und in Zusammensetzungen wie Heldenmut und Löwenmut

Ohne jegliches sprachliche(s) Gefühl

Ob ich deklinieren kann? Aber gewiss doch! Und zwar in jeglicher erdenklicher Tonart! – Hoppla! Da wollte man sich nur einmal besonders gewählt ausdrücken, und schon ging's daneben. Aber wer ist schon bar jeglichen grammatischen Zweifels?

Beim Mittagessen in der Kantine wird eifrig über eine neue Dienstanweisung diskutiert, die der Chef per Rundschreiben an alle Mitarbeiter verschickt hat. Lena hat sich die E-Mail ausgedruckt und liest den Wortlaut noch einmal vor: »Künftig ist jedwedes privates Telefongespräch ausschließlich während der Pausenzeiten zu führen.« Erschüttert blickt sie ihre Kollegen am Tisch an: »Ist das zu fassen? Was bildet dieser Lohmann sich ein?« Michael feixt: »Dass Lohmann ein Wort wie ›jedwedes‹ kennt, ist erstaunlich. So etwas hätte ich ihm gar nicht zugetraut!« Und Benedikt bemerkt: »Ja, aber er gebraucht es falsch! Steht da wirklich *jedwedes privates Gespräch*?« Lena sieht noch einmal auf den Zettel und nickt: »Ja, er hat geschrieben *jedwedes privates Telefongespräch.*« Dann wendet sie den Kopf zu Benedikt und fragt: »Wieso ist daran etwas falsch? Ich meine, abgesehen von der Tatsache, dass diese Anweisung insgesamt eine Frechheit ist?« – »Korrekt muss es heißen *jedwedes private* Telefongespräch«, sagt Benedikt, »*private* bekommt kein s.« – »Genau«, pflichtet Carolin ihm bei, »mir kam das auch gleich nicht ganz astrein vor! Ich wollte ihm schon zurückschreiben: Lieber Herr Lohmann, Ihr privates ›s‹ gehört nicht hierher, das lassen Sie mal lieber schön zuhause!«

»Aber jetzt mal im Ernst, wieso ist das falsch?«, will Lena wissen, »gibt es dafür irgendeine Regel?« – »Natürlich«, sagt

Benedikt, »es gibt für alles irgendeine Regel. Ob man sie einsehen und sich merken kann, ist etwas anderes. In diesem Falle ist sie eigentlich ganz einfach: Hinter jeder, jede, jedes und genauso hinter jedweder, jedwede und jedwedes sowie hinter jeglicher, jegliche und jegliches wird das folgende Adjektiv schwach gebeugt.« – »Das heißt im Klartext, Lohmann hat die Dienstanweisung ohne jegliches sprachliche Gefühl geschrieben!«, schlussfolgert Michael. »Und nicht etwa ohne jegliches sprachliches Gefühl«, ergänzt Benedikt triumphierend.

Lena ist aber immer noch nicht zufrieden: »Was heißt noch mal schwach geneigt?« – »Gebeugt!«, berichtigt Benedikt und erklärt: »Wenn ein Adjektiv schwach gebeugt wird, dann endet es im 1. und 4. Fall auf -e. Wenn es stark gebeugt wird, endet das männliche auf -r und das sächliche auf -s.« – »Und das weibliche?« Benedikt zuckt die Schultern: »Beim weiblichen Adjektiv ist zwischen starker und schwacher Beugung kein Unterschied zu erkennen.« – »Das ist ja mal wieder typisch!«, empört sich Lena, »verdammte chauvinistische Grammatik! Das weibliche Adjektiv bleibt immer gleich, aber männliche können sich verändern?« – »Genau. Ein harter Mann ist stark, aber der harte Mann ist schwach – um ein Beispiel zu nennen«, sagt Benedikt. »Gilt das auch für den be-haarten Mann?«, fragt Carolin kichernd. »Natürlich!«, sagt Lena, »hast du mal Lohmanns Brustbehaarung gesehen? Die kommt ihm ja schon zum Kragen raus!« Michael verzieht das Gesicht: »Solche Themen bitte nicht beim Essen!« Diesen Einwand findet Carolin ungerechtfertigt: »Du findest doch immer irgendein Haar in der Suppe!« Michael seufzt: »Dann muss ich wohl mal klarstellen – am besten per Rundschreiben an alle Kollegen –, dass ich mir künftig jedwedes körperliche Haar in meiner Suppe während der Essenszeiten verbitte!«

Der Mensch ist ein wunderliches Wesen. Er liebt die Gefahr, obwohl sie selten bekömmlich ist, und begibt sich allen Mahnungen zum Trotz immer wieder in Situationen, in denen er sich den Hals brechen kann. Oder wenigstens die Zunge. Mitten im Gespräch lassen wir uns plötzlich zu Formulierungen hinreißen, die wir gar nicht sicher beherrschen. Da will man sich besonders gewählt ausdrücken, und schon steckt man knietief im Morast der deutschen Sprachregeln und ringt verzweifelt nach Worten.

Formulierungen wie »jegliches erdenkliche Szenario«, »jedweder chemische Zusatz« oder »jegliches betriebliche Vermögen« klingen beeindruckend, doch bringen sie einen auch immer wieder in Verlegenheit. Aus gutem Grunde gehören sie der gehobenen Sprache an, weil sie in der normalen Sprache nichts als Schwierigkeiten bereiten. Wie schnell stößt man dort an die Grenzen seines Könnens – um nicht zu sagen: an die Grenzen allen Könnens! Oder alles Könnens? Schon sind wir bei der Wurzel allen

Übels. Oder alles Üblen. Oder alles Übels. Hier gilt sowohl die schwache (allen) als auch die starke Beugung (alles) als richtig. Das gilt auch für jeden Zweifel. Etwas kann sowohl »außerhalb jedes Zweifels« sein als auch »außerhalb jeden Zweifels«. Außer, etwas ist außer jedem Zweifel. Dann steht es – genauer gesagt: jedes – zweifelsfrei im Dativ.

Glücklich ist, wer sich im Alter noch so manchen milden Frühlings erinnern kann oder gar an so manches wilde Mal im Frühling ... dabei kommt es weniger auf die Grammatik als auf die Durchblutung des Gehirns an. Wie vieles gerät doch in Vergessenheit! Manches kehrt zum Glück auch wieder zurück.

Die altmodische Redewendung »bar jeder Vernunft« ist wieder deutlich populärer geworden, seit es in Berlin eine gleichnamige Kabarettbühne mit angeschlossener Gastronomie gibt. Aber wenn hinter der Bar weder die Vernunft noch sonst ein weibliches Wort steht, sondern ein männliches, dann haben wir es wieder mit dem gleichen Problem zu tun: bar jeden Zweifels, bar jedes Zweifels – was ist richtig? Das wäre ja nicht das erste Mal, dass man im Zusammenhang mit einer Bar ins Schwanken gerät. Bevor aber jemand vom Hocker fällt und sich den Kopf stößt, gibt's auch hier die salomonische Entscheidung des Dudens: Beides ist erlaubt.

Richtig schön verschwurbelt wird die Sache mit dem Jeglichen und Jedweden (übrigens nicht: jedwedrigen, wie auch gelegentlich zu lesen ist) ja erst, wenn dem jeweilig Jedweden oder Jeglichen noch etwas vorangestellt wird, wenn also zum Beispiel von der »Prüfung jeglichen befristeten Vertrags« die Rede ist oder vom »Unterlassen jedweden geschäftsschädigenden Handelns«. Der Duden erklärt hierzu:

»Vor dem Genitiv Singular eines stark gebeugten Masku-
linums oder Neutrums wird jeglicher/jedweder schwach
gebeugt, auch wenn ihm ein Adjektiv folgt.« Das ist doch
mal eine Regel, die man sich wirklich gut merken kann, finden Sie nicht? Und wenn es Herrn Lohmann mit seinem
Hinweis auf den »Verzicht jeglichen privaten Telefonge-
sprächs außerhalb der Pausenzeiten« doch zu kompliziert
werden sollte, bleibt ihm immer noch die Möglichkeit, es
volksnäher auszudrücken: »Ey, Leute, telefonieren is nich!«

Hinter diesen Wörtern ...	... werden Adjektive schwach gebeugt
der/die/das	der berühmte Komponist/die moderne Familie/das historische Gebäude
die	die gefährdeten Tiere
derjenige/diejenige/ dasjenige	derjenige berühmte Komponist/diejenige moderne Familie/dasjenige historische Gebäude
diejenigen	diejenigen gefährdeten Tiere
derselbe/dieselbe/dasselbe	derselbe große Hund/dieselbe gelbe Tasse/dasselbe zerschlissene Kleid
dieselben	dieselben schönen Momente
dieser/diese/dieses	dieser große Hund/diese gelbe Tasse/ dieses zerschlissene Kleid
diese	diese schönen Momente
irgendwelche (nur Mehrzahl)	irgendwelche bekannten Krankheiten
jeder/jede/jedes	jeder berühmte Mensch/jede moderne Familie/jedes historische Gebäude
alle	alle gefährdeten Tiere
jedweder/jedwede/ jedwedes	jedweder berühmte Mensch/jedwede moderne Familie/jedwedes historische Gebäude
jeglicher/jegliche/jegliches	jeglicher neue Versuch/jegliche neue Anstrengung/jegliches neue Unter- nehmen

jener/jene/jenes	jener berühmte Mensch/jene moderne Familie/jenes historische Gebäude
jene	jene gefährdeten Tiere
keine (nur Mehrzahl)	keine bekannten Persönlichkeiten
mancher/manche/manches	mancher große Hund/manche gelbe Tasse/manches zerschlissene Kleid
manche	manche schönen Momente
solche (nur Mehrzahl)	solche schönen Momente
welcher/welche/welches	welcher große Hund/welche gelbe Tasse/welches zerschlissene Kleid
welche	welche schönen Momente

Hinter diesen Wörtern ...	... werden Adjektive stark gebeugt
ein/eine/ein (auch mit »solch«, »welch« oder »so« davor: solch ein/welch eine/so ein)	ein berühmter Komponist/eine berühmte Tänzerin/ein berühmtes Genie
einige/ein paar	einige nützliche Ratschläge
etliche	etliche neue Bewohner
irgendein/irgendeine/irgendein	irgendein berühmter Komponist/irgendeine berühmte Tänzerin/irgendein berühmtes Genie
kein/keine/kein (nur Einzahl)	kein großer Mensch/keine neue Straße/kein kleines Kind
mehrere	mehrere berühmte Persönlichkeiten
verschiedene/unterschiedliche/diverse	verschiedene historische Gebäude/unterschiedliche erkennbare Spuren/diverse herumliegende Gegenstände
viele/zahlreiche/zahllose/unzählige	viele berühmte Menschen/zahlreiche große Taten/zahllose spannende Abenteuer/unzählige unerforschte Inseln
wenige	wenige befahrene Straßen

Grüner Eintopf mit Bohnen

König Gurki vom Gemüseland ist ratlos. Einige seiner Untertanen wollen sich einfach nicht beugen. Immer wieder muss er von grüne Bohnen und von gelbe Rüben lesen. Und wenn König Gurki eines partout nicht vertragen kann, dann ist es grammatischer Ungehorsam.

Da läuft einem doch das Wasser im Munde zusammen: Die Tageskarte der gutbürgerlichen Gaststätte »Zum Felseneck« verheißt am Dienstag »Lammhaxe ala provons mit Rosmarienkartoffeln und grüne Bohnen«. Dieses Angebot ist nicht nur unter orthografischen Gesichtspunkten bemerkenswert. Es wirft zudem eine Frage auf, die viele Gemüter bewegt, vor allem in der Gastronomie: Kann man grüne Bohnen beugen? Gibt es die Lammhaxe »mit grüne Bohnen« oder »mit grünen Bohnen«? Die Antwort darauf ist eigentlich ganz einfach: Selbstverständlich kann man grüne Bohnen beugen. Man kann sie sogar brechen – weshalb sie auch Brechbohnen genannt werden.[*] »Grüne Bohne« ist zwar ein Name, aber das heißt nicht, dass seine Bestandteile unveränderlich wären.

Dasselbe gilt auch für die rote Rübe, besser bekannt als Rote Bete. Ein interessantes Wurzelgemüse aus der Familie der Gänsefußgewächse, das übrigens nichts mit Blumenbeeten zu tun hat, weshalb die oft anzutreffende Schreibweise mit Doppel-e (Rote Beete) irreführend ist, auch wenn sie vom Duden als zulässig geführt wird. Das Wort Bete geht auf das lateinische Wort *beta* zurück, welches Rübe bedeutet.

---

[*] Grüne Bohnen werden außerdem Prinzessbohnen, Gartenbohnen, Stangenbohnen, Kletterbohnen, Buschbohnen oder Keniabohnen genannt.

Schon die Germanen kannten es; »Bete« kann also getrost als eingedeutscht betrachtet werden – und verdient es daher, nach den Regeln unserer Grammatik behandelt zu werden. Die norddeutsche Spezialität Labskaus wird traditionell mit Roter Bete serviert. Bei »Labskaus mit Rote Bete« handelt es sich folglich um eine nichtautorisierte Nebenform.

Richtig kompliziert wird es jedoch, wenn sich dem farbigen Gemüse ein weiteres Hauptwort anschließt und wir es plötzlich mit einer dreiteiligen Zusammensetzung zu tun haben. Wie richtet man einen Eintopf mit grünen Bohnen grammatisch korrekt an? Ist es ein »grüner Bohneneintopf«? Was dürfen wir erwarten, wenn wir der Aufforderung nachkommen: »Probieren Sie unseren leckeren grünen Bohneneintopf!« Einen grünen Eintopf, das steht außer Frage. Die darin schwimmenden Bohnen könnten jedoch auch gelb oder rot sein, denn das Farbadjektiv bezieht sich grammatisch auf den Eintopf und nicht auf die Bohnen.

Manch einen interessiert dies vielleicht nicht die Bohne. Als »Zwiebelfisch«-Kolumnist muss ich dem Eintopf natürlich auf den Grund gehen. Meistens tun uns die Farbadjektive ja den Gefallen, mit dem Grundwort zu verschmelzen, was die weitere Behandlung erheblich vereinfacht. So wie bei der Schwarzwurzel oder dem Weißkohl. Hier bereitet die Verarbeitung zur Suppe oder zur Roulade keine Probleme, denn wir brauchen uns nicht den Kopf darüber zu zerbrechen, ob wir es mit einer »schwarzen Wurzelsuppe« oder einer »weißen Kohlroulade« zu tun haben. Schwarzwurzelsuppe und Weißkohlroulade – fertig ist das Menü. Leider machen es uns nicht alle extrabunten Obst- und Gemüsesorten so leicht.

Nehmen wir nur die schwarze Johannisbeere. Sie gibt es leider nicht als Schwarzjohannisbeere, daher stehen wir bei der Verarbeitung zum Gelee vor einem Problem: Ist ein Gelee aus schwarzen Johannisbeeren ein schwarzes Johannisbeergelee? Die meisten würden wohl spontan zustimmen, aber trügt das Gefühl hier nicht?

In Zeiten saurer Gurken spricht man schließlich nicht von sauren Gurkenzeiten, sondern von Sauregurkenzeiten. Wenn das Adjektiv frei steht, passt es sich an. In Zusammensetzungen hingegen wird es starr. So wird aus Roter Bete eine Rote-Bete-Suppe, aus gelben Rüben ein Gelbe-Rüben-Kuchen (oder eine Möhrentorte) und aus schwarzen Johannisbeeren entsprechend ein Schwarze-Johannisbeer-Gelee.

Und die grünen Bohnen landen nicht im grünen Bohneneintopf, sondern im Grüne-Bohnen-Eintopf. Ein Glas mit grünen Bohnen ist schließlich auch kein grünes Bohnenglas. Oder doch? In welchen Altglascontainer gehört es dann: in den für Buntglas?

Liebet *einander*!

Wenn man liest, die Kanzlerin und der US-Präsident haben sich als offen und kompromissbereit gelobt, war dann jeweils ein Eigenlob gemeint? Die deutsche Sprache ist sehr auf »sich« bezogen. Darum hier ein Plädoyer für mehr »einander«.

Vor ein paar Jahren hat der Verein Deutsche Sprache eine sogenannte Wortpatenschaft ins Leben gerufen. Prominente sollten die Patenschaft für ein Wort aus dem Fundus der deutschen Sprache übernehmen, das vom Aussterben bedroht ist oder das ihnen aus irgendeinem anderen Grund besonders am Herzen liegt.

Ulrich Wickert wählte das Wort »Freiheit«. Zweifellos ist Freiheit ein kostbares, schützenswertes Gut und in vielen Ländern der Welt alles andere als selbstverständlich. Das deutsche Wort »Freiheit« indes ist keinesfalls bedroht, das war es nicht einmal unter den Nazis oder dem SED-Regime. Aber es hat einen schönen Klang, und Ulrich Wickert freut sich natürlich, wenn man seinen Namen mit dem Wort »Freiheit« in Verbindung bringt. Iris Berben entschied sich für das Wort »Silberhochzeit«, das ebenfalls einen schönen Klang hat und das möglicherweise eines Tages Seltenheitswert haben wird, wenn die Halbwertszeit der durchschnittlichen Ehe weiterhin sinkt.

Ich habe die Patenschaft für ein Wort übernommen, das weder für besondere menschliche Werte oder Grundrechte steht noch besonders witzig oder originell ist. Es ist nicht einmal ein Hauptwort, sondern ein Pronomen. Ein Fürwort, wie man auch auf Deutsch sagt. Vielleicht klingt dieses Fürwort nicht so schön wie »Silberhochzeit«, doch es hat mindestens genauso mit Beziehungen zu tun, zum Beispiel mit der Beziehung zwischen dir und mir, zwischen ihm und ihr, zwischen diesen und jenen. Ich habe mich für das Wort »einander« entschieden. Warum das? Weil es tatsächlich zu den Wörtern gehört, die bedroht sind – vom Aussterben, vom Vergessen. Dort, wo »einander« hingehört, sagen die meisten Menschen einfach »sich«. Das ist zugegebenermaßen auch kürzer und praktischer. Und in vielen Fällen sind »sich« und »einander« auch gleichbedeutend – aber eben nicht immer.

Wenn von Menschen die Rede ist, die sich hassen, wird nicht klar, ob damit nun unversöhnliche Streithähne oder bedauernswerte Menschen mit mangelndem Selbstwertgefühl gemeint sind. Bei Menschen, die einander hassen, ist die Verwechslung ausgeschlossen. Wenn zwei Freunde sich geschworen haben, sich nie mehr zu belügen, muss das nicht bedeuten, dass sie auch einander immer die Wahrheit sagen wollen. Es muss noch nicht einmal heißen, dass sie einander etwas geschworen haben. Es kann sich auch um eine stille Abmachung handeln, die jeder mit sich selbst getroffen hat.

Eine Leserin aus den Niederlanden wollte von mir wissen, wie es kommt, dass die Deutschen offensichtlich sich lieben, aber nur selten einander. Im Niederländischen wird nicht nur im Schriftlichen, sondern auch in der gesprochenen Sprache ganz deutlich zwischen »zich« (= sich) und »elkaar« (= einander) unterschieden. Selbst die Frage »Wann sehen wir uns wieder?« stellt der Niederländer nicht mit »uns«, sondern mit »einander«: »Wanneer zien wij elkaar weer?«

Bisweilen kann das Reflexivpronomen »sich« zu schwerwiegenden Missverständnissen führen, so wie im Bundestagswahlkampf des Jahres 2002. Nach dem Fernsehduell zwischen dem damaligen Bundeskanzler Gerhard Schröder und seinem Herausforderer Edmund Stoiber wurde im Radio berichtet: »Beide Kandidaten halten sich für unfähig, Deutschland zu regieren.«

Diese vermeintliche Selbsteinschätzung führte zu einer tiefen Verunsicherung der Radiohörer: »Wen soll man da noch wählen«, fragten sie sich bang, »wenn selbst die beiden Spitzenkandidaten zugeben, dass sie unfähig sind?«

Die Verwirrung hätte vermieden werden können, wenn der Radiosprecher gesagt hätte: »Beide Kandidaten halten einander für unfähig.« Er hätte auch beim »sich« bleiben und ein »gegenseitig« hinzufügen können. Aber wozu länger und umständlicher sprechen, wenn es auch kürzer geht – und schöner?

Das Wort »einander« ist nämlich nicht nur präziser als »sich«, es wertet zugleich den Ausdruck des Sprechers auf, denn es hat einen schönen Klang, es hat Melodie und einen leichten, gefälligen Rhythmus. Ein Wort, das einem auf der Zunge zergeht wie Mousse au Chocolat. Probieren Sie es mal aus, und Sie werden feststellen, wie leicht man sich an »einander« gewöhnen kann!

Grüße aus dem Jenseits

Der Tod gehört zum Leben, so will es die Natur. Der Mensch allerdings verfügt über Kräfte, die Gesetze der Natur auszutricksen und dem scheinbar Unvermeidlichen ein Schnippchen zu schlagen. Eine dieser Kräfte ist der Glaube, eine andere die Fantasie. Die dritte und vielleicht am häufigsten anzutreffende ist die sprachliche Schlamperei.

Dank ihrer Hilfe können Menschen auch nach ihrem Ableben noch eine ganze Menge Unheil anrichten. So erfuhr man im April dieses Jahres auf welt.de: »Ein Polizist hat in Regensburg einen Mann durch einen Schuss aus seiner Dienstwaffe getötet. Der Beamte und seine Kollegen wollten einen Streit zwischen dem Opfer und einem weiteren Mann schlichten. Darauf griff der Erschossene die Polizisten an – warum, ist völlig unklar.« Völlig unklar? Dass ein Erschossener Rache üben will, ist doch nur allzu verständlich!

Nicht erst seit Bram Stoker seinen »Dracula« erschuf, wissen wir, dass wir uns die Welt mit Untoten teilen müssen. Die Angaben darüber, wie viele dieser Untoten es gibt, schwanken. Aber es müssen sehr, sehr viele sein; allein in Paraguay gibt es Hunderte, wenn man einem Bericht der »Rheinischen Post« vom August 2004 glauben darf: »In einem Einkaufszentrum in Paraguay ist es zu einem verheerenden Brand gekommen. Dabei sind nach Angaben eines TV-Senders mindestens 340 Tote ums Leben gekommen.« Ein anderes Mal war in derselben Zeitung ein Bild von einem entgleisten Zug zu sehen, »in dem mindestens 36 Tote starben«, wie der Bildunterschrift zu entnehmen war.

Manchmal haben die Toten auch Glück und kommen mit dem Leben davon. So konnte man auf einer Videotexttafel des Norddeutschen Rundfunks erfahren: »In Hutzfeld bei Eutin haben zwei überraschte Diebe in der Nacht zum Sonntag einen 45-jährigen Grundstücksbesitzer niedergestochen. Nach Angaben der Polizei vom Montag wurden die 16 und 23 Jahre alten Täter gefasst. Der Erstochene ist außer Lebensgefahr.«

Einige Menschen glauben, dass man mit den Toten in Kontakt treten könne, und halten sogenannte Séancen ab, bei denen sie Nachrichten aus dem Jenseits zu empfangen hoffen. Dabei kann man sich diesen Aufwand sparen. Mitunter genügt es schon, die Zeitung aufzuschlagen, denn dort wimmelt es von Nachrichten aus dem Totenreich. Ein beliebter Weg, die Hinterbliebenen zu grüßen, ist die Todesanzeige: »Nach langer, schwerer Krankheit verstorben, trauern wir um unseren geliebten Opa, Vater und Schwiegervater«. Die grammatische Analyse bringt es an den Tag: Da sich das vorangestellte Partizip (in diesem Fall »verstorben«) immer auf das Subjekt des Satzes bezieht, sind »wir« es, die gestorben sind. Und jetzt trauern wir um unseren Opa ... weil er nicht mit uns gestorben ist, sondern es vorgezogen hat, auf der Erde zu bleiben, um das Seniorenheim so richtig schön aufzumischen.

Ein weiterer Fall von Wer-wie-was-Verwirrung wurde in einer Traueranzeige im »Iserlohner Kreisanzeiger« offenbar: »In treuer Pflichterfüllung hat Gott der Herr meine liebe Frau, unsere herzensgute, besorgte Mutter zu sich gerufen.« Das mag uns tröstlich erscheinen: Auch Gott erfüllt nur seine Pflicht. Ratlos machte einen indes eine andere Traueranzeige aus der »Schneverdinger Zeitung« vom Februar 2008, in der es hieß: »Ein großes Herz und zwei

nimmermüde Hände haben aufgehört zu schlagen.« Wer,
bitte, war da gestorben? Ein ehemaliger Box-Champion?
Eine überforderte Kindergärtnerin?

Jubiläen und Geburtstage machen einem immer wieder auf
unbarmherzige Weise klar, wie schnell die Zeit vergeht.
Todestage natürlich auch.
Der Presseschau von perlentaucher.de konnte man zur Os-
terzeit dieses Jahres folgenden Hinweis entnehmen: »Eine
ganze Seite ist Georg Friedrich Händel gewidmet, der in
diesen Tagen zum 250. Mal gestorben wäre.« Tja, einmal ist
keinmal, wie es so schön heißt. Staunen konnte man auch,

als die »Berliner Morgenpost« im Januar 2008 verkündete: »Nach dem Tod von Luciano Pavarotti wollen die Drei Tenöre nie wieder als Trio auftreten.«

Ruhe in Frieden? Von wegen! So wenig, wie die Toten uns in Ruhe lassen, so wenig lassen wir die Toten in Ruhe. Oft gehen wir dabei nicht einmal besonders nett mit ihnen um. »Verdächtiger wird nach Autopsie erneut verhört«, meldete t-online.de im Juni 2006. Da wird der Verdächtige also erst einmal aufgeschlitzt und anschließend nochmals vernommen. Vermutlich, um auch noch das Letzte aus ihm rauszuholen. Eine nicht minder irritierende Schlagzeile konnte man im April dieses Jahres in den »Badischen Neuesten Nachrichten« lesen: »Nach Enthauptung in die Psychiatrie«. Dass der eine oder andere Patient in einer psychiatrischen Abteilung etwas kopflos herumläuft, mag man ja noch hinnehmen, aber richtig enthauptet? Auch mit Drogenopfern wird nicht gerade zimperlich umgegangen. Einige Staaten haben offenbar sehr rigide Methoden, sich ihrer Drogentoten zu entledigen. Sie verfrachten sie auf Boote und lassen sie aufs Meer hinaustreiben. Wie anders sollte man diese Überschrift vom Mai 2007 sonst deuten: »Drogentote sinken«.

Dass das Wissen um die Endlichkeit das Leben überhaupt erst lebenswert macht, hat man inzwischen auch in Baden-Württemberg erkannt. Vor einiger Zeit konnte man in Stuttgart Plakate hängen sehen, die auf den bis dahin völlig unterschätzten morbiden Charme der Landeshauptstadt hinwiesen: »100 Jahre Garten- und Friedhofsamt – Ihr Partner für ein lebenswertes Stuttgart«.

Vom Fliegen, Fahren, Gehen und Laufen

Das berühmte Fliewatüüt konnte fliegen, fahren und schwimmen. In der Fantasie ist vieles möglich, in der Sprache aber nicht. Da können Tiere nicht gehen und Ballone nicht fliegen. Ein paar Gedanken zu den seltsamen sprachlichen Gesetzen der Fortbewegung.

Langsam rollt der Zug aus dem Bahnhof, gewinnt an Fahrt, lässt Häuser und Straßen hinter sich und jagt alsbald über die niedersächsische Tundra. Da meldet sich eine gefürchtete Stimme über Lautsprecher: Der Zugführer spricht! »Meine Damen und Herren«, sagt er, »unser Zug hat Hannover-Hauptbahnhof mit einer Abgangsverspätung von sieben Minuten verlassen.« Bei diesem Wort horche ich auf: Abgangsverspätung. Die meisten Menschen denken beim Wort »Abgang« an etwas anderes: an den Tod oder ans Theater, aber nicht unbedingt an die Deutsche Bahn. Im Wörterbuch findet man allerdings den Vermerk, dass die Abfahrt von Zügen fachsprachlich »Abgang« genannt wird. Es bleibt die Frage, wieso der Zugführer mit den Reisenden in seiner Fachsprache reden muss. Vielleicht glaubt er, den Unmut über die Verspätung durch Vorspiegelung fachlicher Kompetenz beschwichtigen zu können.

Übrigens können nicht nur Züge abgehen, sondern auch Schiffe. Und nicht zu vergessen die Post, die geht ja auch bekanntlich ab. Im Unterschied zu Preisetiketten auf CD-Hüllen: Die gehen nie richtig ab.

Auch die Abfahrt von Schiffen wird also Abgang genannt. Und wenn das Schiff den Hafen verlässt, spricht man auch vom Auslaufen. Erst geht das Schiff, dann läuft es. Manchmal läuft es auf ein Riff, und anschließend geht es wieder, nämlich unter. Die Seefahrt ist kein Kommen und Gehen, sondern ein Gehen und Laufen.

Luftballons können nur fliegen, solange sie klein sind. Wenn sie zu richtig großen Ballonen ausgewachsen sind, dann fliegen sie nicht mehr, sondern fahren. Wer einen Ballonfahrer als Ballonflieger bezeichnet, handelt sich unter Garantie eine Korrektur inklusive kostenloser Belehrung ein. Manche Ballonfahrer scheinen nur darauf zu warten, dass irgendein Laie ihnen eine Frage stellt, die das Wort »fliegen« enthält, auf dass sie ihn wortreich über den Unterschied zwischen »fliegen« und »fahren« aufklären können.

Der Grund dafür, dass Ballone fahren, liegt in der Seefahrt. Die frühe Luftfahrt orientierte sich an der Seefahrt; entsprechend wurde das Vokabular von der Seefahrt auf die Luftfahrt übertragen. Beim ersten Fluglinienverkehr kamen noch keine Flugzeuge, sondern Luftschiffe zum Einsatz. Während Ballone also fahren, treten Autos als Läufer an. Eigentlich ist es der Motor, der läuft, aber das überträgt man gern auf das gesamte Automobil und stellt – nicht nur über den Käfer – fest: Er läuft und läuft und läuft. (Über so manchen unwirtschaftlich konstruierten Wagen lässt sich außerdem konstatieren: Er säuft und säuft und säuft.) Obwohl mit Autos regelmäßig Rennen veranstaltet werden, würde man niemals sagen, das Auto sei gerannt. Früher waren es die Pferde, die beim Wagenrennen rannten. Heute rennt beim Rennen niemand mehr. Höchstens ein paar Zuschauer, die es eilig haben, zur Toilette zu kommen. Rennfahrer werden in der Fachsprache ja auch Piloten genannt, aber fliegen tun sie nicht. Nur in seltenen, meist tragisch endenden Fällen hebt ein Rennwagen von der Piste ab und gleitet für einen kurzen Moment durch die Luft.

Die Sprache steckt voller Ungereimtheiten, gerade das macht sie so spannend und verführerisch. Wer hinter ihre Geheimnisse kommen will, muss tief in sie eindringen. Das Wort »laufen« hat unterschiedliche Bedeutungen, die sich zum Teil sogar widersprechen. Einerseits definieren wir laufen als schnelle Fortbewegung: Beim 100-Meter-Lauf wird nicht getrödelt, sondern gerannt. Wenn Babys lernen, sich auf ihren wackeligen Beinchen fortzubewegen, dann sagt man, dass sie laufen lernen. Laufen kann auch einfach nur »zu Fuß gehen« bedeuten. »Soll ich dir ein Taxi rufen?« – »Nein danke, ich laufe lieber!« Und beim Wandern kann man sich die Füße plattlaufen. Nirgends offenbart sich das Paradoxon zwischen gehen und laufen schöner als in dieser uralten Wendung. Frage: »Und, wie läuft's so?« Antwort: »Danke, es geht!«

Für Auslandsaufenthalte, die nur ein paar Wochen dauern, empfiehlt sich die Anreise mit dem Auto, der Bahn oder dem Flugzeug: »In den Sommerferien fahren wir nach Italien.« Bei längeren Auslandsaufenthalten kann man aufs Fahren verzichten und stattdessen gehen: »Nach meinem Abi gehe ich für ein Jahr in die USA.«

Immer wieder musste der Mensch im Vergleich mit der Fauna feststellen, dass er nur mit beschränkten Gaben ausgestattet ist. Irgendein Tier kann immer irgendetwas, das der Mensch entweder nur mäßig oder gar nicht kann. Viele Tiere können schneller laufen als der Mensch, andere können schneller schwimmen, besser klettern oder länger tauchen. Und einige können fliegen. In zwei Fällen allerdings hat sich der Mensch ein Monopol gesichert. Zwei Dinge gibt es, die nur er kann und kein Tier. Sprechen gehört nicht dazu, denn es gibt einige sprechende Papageienarten. Auch die Fähigkeit zu denken stellen wir bei Tieren nicht grundsätzlich in Abrede. Was im Unterschied zu uns Menschen kein Tier kann, das ist erstens: essen – und zweitens: gehen. Tiere essen nicht, sondern fressen, und Tiere können auch nicht gehen. Eher lassen wir es zu, dass Uhren oder Züge gehen. Bei Tieren sind wir unerbittlich. Laufen ja, aber gehen? Nein!

Der Reichtum unserer Sprache offenbart sich auch dann, wenn es darum geht, die Fortbewegung von Tieren zu beschreiben: Löwen trotten, Giraffen schreiten, Elefanten trampeln, Pfauen stolzieren, Kaninchen hoppeln, Katzen schleichen, Käfer krabbeln, Enten watscheln und Robben robben. Und wenn Fliegen hinter Fliegen fliegen, fliegen Fliegen Fliegen hinterher. Pferde können zwar »Schritt gehen«, »Pass gehen« und »Tölt gehen«, bisweilen können sie auch durchgehen, aber man würde niemals sagen: »Schau mal, da drüben geht ein Pferd!« Auch bei Hunden ist das Gehen nur in Verbindung mit einem Hauptwort möglich, nämlich wenn sie Gassi gehen. Das reine Gehen ist dem Menschen vorbehalten.

Einem inneren Drang folgend, erhebe ich mich von meinem Platz. »Wo willst du hin?«, fragt mich meine Begleitung. »Zur Toilette!«, erkläre ich. Und während ich mich durch den vollbesetzten Großraumwagen schlängele, denke ich darüber nach, wie fantastisch es doch ist, dass ich im selben Moment fahren und gehen kann: einerseits nach Hamburg – und gleichzeitig zur Toilette. Dort wiederum kann ich mich ungestört gehen lassen und einen fahren lassen. Wie wunderbar vielseitig unsere Sprache doch ist!

Das Paarungsverhalten der Uhue

Ein Uhu macht noch keine Zwiebelfisch-Kolumne, aber bei zweien wird es interessant! Denn wer da glaubt, ein Uhu und noch ein Uhu seien immer schon zwei Uhus gewesen, der hat noch einiges zu lernen über die flatterhafte Mehrzahl im Deutschen.

»Wissen Sie, wie die Mehrzahl von Uhu lautet?«, fragte mich ein Besucher im Anschluss an eine Veranstaltung im schönen Bayreuth. Ich ahnte gleich, dass dies eine Fangfrage sein müsse, und erwiderte vorsichtig: »Ich werde es bestimmt gleich erfahren!« – »Die Mehrzahl von Uhu lautet nicht Uhus, sondern Uhue!«, behauptete der Mann, wobei er diesen triumphierenden »Ich weiß etwas, was Sie mal nicht wissen«-Blick aufsetzte. Ich widersprach ihm nicht, denn wenn ich eines inzwischen gelernt habe, dann dass man Besuchern von Bastian-Sick-Veranstaltungen besser nicht widerspricht.

Bei meinen Streifzügen durch die Wunderwelt der deutschen Sprache sind mir zwar schon einige schräge Vögel untergekommen, aber Uhue waren bislang noch nicht dabei. Ich glaube auch nicht, dass es sie gibt. Ich halte »Uhue« für eine Legende, so wie das Ungeheuer von Loch Ness oder den Vogel Greif. Aber bevor ich mich auf eine Wette einlasse, konsultiere ich lieber das Wörterbuch.

In der aktuellen Ausgabe des Dudens ist die Mehrzahl des Wortes »Uhu« mit einem »s« angegeben, also Uhus. Eine andere Möglichkeit ist nicht vorgesehen. Na bitte, demzufolge hat es »Uhue« nie gegeben. Oder doch? Früher vielleicht einmal? Vorsichtshalber schlage ich noch mal

in einem älteren Wörterbuch nach, und siehe da: In der Ausgabe von 1929 findet man tatsächlich »Uhue«, versehen mit der Anmerkung, dass in Österreich auch die Form »Uhus« existiere. »Zum Kuckuck«, denke ich, »sollte der Herr aus Bayreuth womöglich Recht haben?« Um ganz sicherzugehen, konsultiere ich ein zweites Nachschlagewerk, das »Deutsche grammatisch-orthographische Nachschlagebuch« eines gewissen Dr. August Vogel – ebenfalls aus den 20er-Jahren. Ein Herr Vogel muss ja wissen, wie die Mehrzahl von Uhu lautet, denke ich. Und siehe da: Auch er kennt die Form mit »e« am Ende – oder die unveränderliche: ein Uhu, viele Uhu. Aber »Uhus« waren ihm nicht bekannt. Das entlockt mir gleich mehrere »Ahas!« – oder »Ahae«, ganz wie Sie wollen. Offenbar wurde der Uhu nicht nur ein Opfer der menschlichen Zivilisation, sondern auch des Sprachwandels. Denn »Uhue« sind heute ausgestorben; Uhus hingegen findet man zuhauf, nicht nur bei den Klebemitteln im Papierwarengeschäft, sondern eben auch in aktuellen Wörterbüchern.

In der deutschen Sprache kann die Mehrzahl auf viele verschiedene Weisen gebildet werden. Es gibt mindestens elf Möglichkeiten. Mal wird ein »e« angehängt oder ein »n«, mal ein »er« oder ein »en«, mal kommt dabei noch ein Umlaut ins Spiel, mal verändert sich auch gar nichts, und nicht selten hat ein Wort sogar zwei verschiedene Pluralformen. Entweder, weil diese einen Bedeutungsunterschied markieren, so wie bei dem Wort Band, das zu »Bande«, »Bände« oder »Bänder« werden kann, und – englisch ausgesprochen – auch noch zu »Bands«. Oder, weil sich die Deutschen einfach nicht auf eine einheitliche Pluralform einigen konnten, so wie im Falle der Denkmäler und Denkmale oder der Süchte und Suchten.

Die Pluralendung »s« bei Dingen ist keine ursprünglich deutsche. Wir haben sie uns von anderen Sprachen abgeguckt. Daher kommt sie hauptsächlich bei Fremdwörtern zur Anwendung: bei Cocktails, Partys, Gags, Meetings und Shops, bei Taxis, Büros, Appartements, Salons und Hotels.

Da wir auch viele Tiere aus anderen Sprachen importiert haben, die in der Mehrzahl auf »s« enden (Aras, Boas, Gnus, Gorillas, Zebras), haben wir ihnen den Uhu angeglichen, obwohl dieses Tier seinen Namen nicht einem Auslandsimport zu verdanken hat, sondern einer lautmalerischen Nachahmung seines Rufes. Früher hieß er auch mal Schuhu, Buhu oder Huhu. Am Ende hat sich »Uhu« durchgesetzt. Und mittlerweile hat sich die Mehrzahlform »Uhus« durchgesetzt. Das »ue« am Ende muss den Menschen zunehmend seltsam erschienen sein, sodass es irgendwann dem immer geläufiger werdenden Plural auf »s« wich.

Bei einigen Wörtern neigt die Umgangssprache dazu, den Plural zu verdoppeln. Und damit meine ich hier nicht die vielen Visas, Scampis und Antibiotikas, von denen man immer wieder hört und liest. Das sind schließlich Fremdwörter, und mit denen tun sich die meisten Deutschen ohnehin schwer. Nein, es gibt auch ein paar deutsche Wörter, bei denen die Mehrzahl gern überdeutlich markiert wird: So trifft man im Deutschen immer wieder auf Kinders (auch: Kinners), Jungens und Männers. Es gibt sogar »Leuts« – als Mehrzahl von »Leute«, obwohl es von »Leute« nicht einmal eine Einzahl gibt.

Um noch mal auf die Vögel zurückzukommen: Der Kuckuck, dessen Name auf die gleiche Weise wie der des Uhus entstand (d. h. durch klangliche Nachahmung seines Rufs), wird in der Mehrzahl immer noch »Kuckucke« gerufen, nicht Kuckucks. Es sei denn, man meint eine Familie gleichen Namens, dann heißt es freilich »die Kuckucks kommen«. Ich kenne etliche Kuckucks, und das sind allesamt ganz fabelhafte Leuts! Auch Sperlings, Spechts und Finks kenne ich ein paar. Nur keine Uhus. Wissen die Kuckucke, warum.

	Pluralbildung	Beispiele im Singular	Beispiele im Plural
1	Keine Endung, keine Umlautung	der Koffer der Adler das Fenster das Kaninchen der Wagen	die Koffer die Adler die Fenster die Kaninchen die Wagen (süddeutsch auch: die Wägen)
2	Keine Endung, mit Umlautung	der Vogel der Vater die Mutter das Kloster	die Vögel die Väter die Mütter die Klöster

Pluralbildung	Beispiele im Singular	Beispiele im Plural
3 Mit Endung -e, ohne Umlautung	der Hund der Wal der Kranich	die Hunde die Wale die Kraniche
4 Mit Endung -e und Umlautung	der Baum der Kamm der Arzt die Hand die Sau die Wurst	die Bäume die Kämme die Ärzte die Hände die Säue die Würste
5 Mit Endung -en, ohne Umlautung	die Frau die Burg die Zahl das Ohr	die Frauen die Burgen die Zahlen die Ohren
6 Mit Endung -er, ohne Umlautung	das Kind das Gesicht	die Kinder die Gesichter
7 Mit Endung -er und Umlautung	der Mann das Volk das Wort das Haus	die Männer die Völker die Wörter die Häuser
8 Mit Endung -n	der Bauer die Mauer die Wolke die Geisel	die Bauern die Mauern die Wolken die Geiseln
9 Mit Endung -se	das Geheimnis der Bus	die Geheimnisse die Busse
10 Mit Endung -nen	die Freundin die Göttin	die Freundinnen die Göttinnen
11 Mit Endung -s	der Uhu die Oma das Büro das Deck	die Uhus die Omas die Büros die Decks
12 Wortänderung	der Kaufmann	die Kaufleute

Nachdem ich diese Tabelle im Internet veröffentlicht hatte, schrieb mir ein Leser aus Süddeutschland, dem die Frage nach einem ganz bestimmten Pluralwort keine Ruhe ließ. Seit er am 1. Januar des Jahres 2000 mehrere Flaschen mit Post am Ufer des Bodensees gefunden hatte, fragte er sich, wie die korrekte Mehrzahl des Wortes »Flaschenpost« laute. Mittels meiner Tabelle habe er nun folgende Möglichkeiten durchprobiert:

1. Keine Endung, keine Umlautung: mehrere Flaschenpost
2. Keine Endung, mit Umlautung: mehrere Flaschenpöst
3. Mit Endung -e, ohne Umlautung: mehrere Flaschenposte
4. Mit Endung -e und Umlautung: mehrere Flaschenpöste
5. Mit Endung -en, ohne Umlautung: mehrere Flaschenposten
6. Mit Endung -er, ohne Umlautung: mehrere Flaschenposter
7. Mit Endung -er und Umlautung: mehrere Flaschenpöster
8. Mit Endung -n: mehrere Flaschenpostn
9. Mit Endung -se: mehrere Flaschenpostse
10. Mit Endung -nen: mehrere Flaschenpostnen
11. Mit Endung -s: mehrere Flaschenposts
12. Wortänderung: mehrere Buddelpost

Es wollte ihm aber keine recht gefallen, was auch verständlich ist. Umso mehr, als das Wort »Post« unzählbar ist. Ich kann allen anderen Lesern daher nur folgenden Rat erteilen: Sollten Sie jemals in eine vergleichbare Situation geraten, so nehmen Sie nur eine Flasche an sich und werfen Sie die anderen wieder zurück ins Wasser. Dann bleibt Ihnen ein großes Dilemma erspart!

Welche LZA, Herr PVB?

Stellen Sie sich vor, Sie werden bedroht. Auf der anderen Straßenseite steht ein Polizist. Wie rufen Sie ihn herbei? Mit »Wachtmeister«? Oder »Schutzmann«? Ehe es Ihnen einfällt, sind Sie
ausgeraubt worden. Schuld ist weder der Räuber noch der Gen-
darm, sondern wieder nur der Wandel der Zeit.

Auf dem Weg zur Gepäckausgabe des Hamburger Flugha-
fens fällt mein Blick auf die großflächige Anzeige eines Au-
toverleihers. Darauf sieht man eine junge Frau, deren Gesicht von ihren Haaren verdeckt wird, und daneben steht
zu lesen: »Welche Ampel, Herr Wachtmeister?« Darunter folgt, in etwas kleinerer Schrift, der Hinweis, dass der
Autoverleiher wieder Cabrios einer bestimmten Marke
im Angebot habe. So weit, so witzig. Ansprechend ist die
Werbung zweifellos, selbst wenn von der Frau aufgrund
ihrer zersausten Frisur nicht viel zu erkennen ist. Was mir
indes noch größere Rätsel als die Haar-verschleierten Augen des Fotomodells aufgab, war das Wort »Wachtmeister«. Denn es wirkte an dieser Stelle seltsam. Der gute alte
Herr Wachtmeister und die junge, rasante Cabriofahrerin
schienen mir nicht recht zusammenzupassen. Und ich bin
sicher, dass es nicht nur mir so ging. Ich sehe es förmlich
vor mir, wie sich die Leute in der Werbeagentur den Kopf
darüber zerbrochen haben, mit welchen Worten die Frau
den Polizisten anreden soll. Jeder hatte das Gefühl, dass der
»Herr Wachtmeister« eigentlich längst aus der Mode geraten ist. Und doch fiel niemandem eine bessere Anrede ein.
Was daran liegt, dass es keine bessere gibt.

Immer wieder kommt es vor, dass sich Berufsbezeichnun-
gen ändern. Die frühere Sprechstundenhilfe ist heute eine

Arzthelferin, und zur Stewardess sagt man inzwischen Flugbegleiterin. Für den Portier wird die Bezeichnung Front Desk Manager immer beliebter, und die Putzfrau von einst nennt sich heute Raumpflegerin oder Reinigungsfachkraft, wenn nicht gar »Fachfrau für Oberflächen«. Dagegen ist auch gar nichts einzuwenden, das ist der Wandel der Zeit. Dumm ist es nur, wenn eine Berufsbezeichnung veraltet und aus der Mode gerät, der Beruf aber weiterhin besteht und es einfach kein neues Wort dafür gibt. Die Zeiten, da man einen Streifenpolizisten noch mit »Schutzmann« anrufen konnte, sind lange vorbei. Und auch der »Wachtmeister« ist antiquiert. Der sprachliche Umgang mit der Polizei stellt uns Deutsche vor ein Problem.

Unlängst befand ich mich in einer heiklen Situation. Es war während eines Volksfestes an der Hamburger Alster. Da schickte sich eine Gruppe alkoholisierter Jugendlicher zu randalieren an. Um eine Keilerei zu verhindern, suchte ich nach einem Ordnungshüter. Ich hatte Glück, denn nicht weit entfernt patrouillierten zwei Staatsdiener in Uniform. Während ich in ihre Richtung eilte, überlegte ich, wie ich sie ansprechen sollte. »Hallo, die Herren Wachtmeister«? Oder »Guten Abend, meine Herren Polizeibeamte«? Ich hatte sie schon fast eingeholt, da wurde ich gewahr, dass der eine Polizist weiblich war. Das machte die Sache noch komplizierter. Sollte ich etwas sagen wie: »Entschuldigen Sie, Herr und Frau Wachtmeister, es gibt dort drüben ein kleines Problem«? Nein, diese Möglichkeit verwarf ich sogleich.

In meiner Ratlosigkeit tat ich das, was meine Leser – und eigentlich auch ich selbst – am allerwenigsten von mir erwarten würden: Ich wich aufs Englische aus. »Hallo, Officer!«, rief ich. Immerhin, es funktionierte, die Beamten fühlten sich angesprochen und blieben stehen. Ein einfaches »Hallo« oder »Entschuldigen Sie« hätte es freilich auch getan, aber ist das wirklich eine Lösung?

Das Problem ließ mir keine Ruhe, und nachdem die beiden Beamten für Ordnung gesorgt hatten, stellte ich ihnen die Frage, wie sie eigentlich am liebsten angeredet würden: mit »Wachtmeister«, »Schutzmann« oder »Herr Polizist«? Und wie ist es bei der Frau, sagt man da Frau Wachtmeister oder Frau Wachtmeisterin? Oder Grüß Gott, Frau Polizistin? Die beiden zuckten nur mit den Schultern und erwiderten, es sei ihnen ziemlich egal, solange man sie nicht mit »Bulle« anreden würde.

Die Bezeichnung Wachtmeister für den Streifendienst wurde in der Bundesrepublik Deutschland in den achtziger Jahren abgeschafft. Offiziell werden Polizisten »Polizeivollzugsbeamte« genannt, abgekürzt PVB. Die Amtssprache neigt ja dazu, Wörter erst umständlich aufzublähen, um sie anschließend wieder abzukürzen. So ist eine Ampel im offiziellen Amtsdeutsch auch keine Ampel, sondern ein »Wechsellichtzeichen« oder eine »Lichtzeichenanlage«, kurz LZA. In verkürzter Amtssprache hätte die Frage der Cabriofahrerin also lauten müssen: »Welche LZA, Herr PVB?« Das wäre aber erst recht seltsam gewesen.

Der Räuber Hotzenplotz hat's gut, denn er ist auch heute noch ein Räuber – und nicht etwa eine »Fachkraft für Eigentumsdelikte«. Doch was ist mit Herrn Dimpfelmoser? Vorbei die Zeiten, als Kasperl, Seppel und Großmutter noch erleichtert wie aus einem Munde riefen: »Sie schickt der Himmel, Herr Oberwachtmeister!«

Büro zu mieten?

Sie glauben, geben und nehmen könne man nicht verwechseln? Ebenso wenig wie finden und verlieren oder wie suchen und anbieten? Doch wie steht es mit mieten und vermieten und mit kaufen und verkaufen? Eigentlich sind es Gegensätze, und doch auch wieder nicht.

An einem sommerlichen Freitagnachmittag schlendern Henry und ich durch die Innenstadt. Das Antiquariat in der Fußgängerzone hat dichtgemacht. Im Schaufenster hängt ein großes Schild mit der Aufschrift: »Ladenfläche zu vermieten«. »Vermutlich eröffnet hier demnächst ein weiterer Coffeeshop«, sagt Henry. »Wozu braucht der Mensch auch alte Bücher, wenn er einen Grande caffè latte mit Hazelnut-Flavor haben kann?« – »Genau!«, pflichte ich ihm bei, »und es gibt ja auch erst vier Coffeeshops in dieser Straße.«
Zwei Geschäfte weiter scheint ebenfalls ein Inhaberwechsel bevorzustehen. Vor den Fenstern im ersten Stock hängt ein großes Werbetransparent. »Büroräume in dominanter Ecklage zu mieten«, liest Henry vor. »Das ist aber seltsam, findest du nicht?« Ich erwidere lachend: »Dominante Ecklage – das ist doch genau das Richtige für den ehrgeizigen Chef einer Ich-AG.« – »Ich meine nicht die dominante Ecklage«, erklärt Henry, »sondern das ›zu mieten‹. Beim Antiquariat steht ›zu vermieten‹, und hier heißt es ›zu mieten‹. Gemeint ist zweifellos dasselbe, dabei bedeutet mieten doch genau das Gegenteil von vermieten.« Das stimmt. Was ist denn nun richtig?
Um es mit Shakespeare zu sagen: Zu mieten oder zu vermieten, das ist hier die Frage. Im Englischen heißt es ›Room for rent‹ – also ›Zimmer gegen Miete‹. Oder ›Rum für

Rente‹, wie meine Freundin Sibylle immer sagt. Das hilft uns hier nicht weiter. In Deutschland ist es üblich, Wohnungen, Zimmer, Häuser, Büros und Ladenflächen, die zur Vermietung stehen, als »zu vermieten« anzupreisen. Zwischen den vielen, vielen Anzeigen, auf denen das auch so steht, findet man aber immer häufiger auch solche, auf denen es nur »zu mieten« heißt.

Mit den Verkaufsangeboten ist es ähnlich. Die meisten Eigentumswohnungen, die auf dem Immobilienmarkt angeboten werden, stehen zum Verkauf. Einige stehen aber auch zum Kauf. Beim Spaziergang durch bürgerliche Wohngegenden kommt man früher oder später an einem Schild vorbei, das von einem Makler in den Rasen oder in die Blumenrabatte gerammt wurde und einem schon von Weitem verkündet, dass dieses Haus zu verkaufen sei. Gelegentlich kann man sogar zwei Angebote in unmittelbarer Nachbarschaft entdecken, auf dem einen steht »zu kaufen« und auf dem anderen »zu verkaufen«. Beide Schilder bedeuten zwar dasselbe, sagen es aber mit sich scheinbar widersprechenden Worten. Als Deutscher wundert man sich darüber. Für einen Ausländer aber muss es äußerst verwirrend sein.

In Frankreich heißt es »à vendre« (= zu verkaufen), und nicht etwa »à acheter« (= zu kaufen). Im Niederländischen ist es genau umgekehrt. Dort sind Immobilien »te huur« (= zu mieten«) oder »te koop« (= zu kaufen). Die Wörter »verhuur« und »verkoop« existieren gleichwohl, sind aber in diesem Zusammenhang unüblich. Die Europäer sind sich offenbar nicht einig. Und aus Brüssel scheint noch keine eindeutige Weisung ergangen zu sein.

»Büros zu mieten« ist ja die verkürzte Form einer längeren Aussage, und vielleicht findet man des Rätsels Lösung, indem man die verkürzte Form vervollständigt: »Ich habe

Büros zu vermieten« könnte es aus Sicht des Maklers oder Eigentümers heißen. Aber die Aussage richtet sich ja an den potenziellen Kunden, und für den wiederum kann es sich auch so lesen: »Hier gibt es für Sie Büros zu mieten«. Zweifellos ist es eine Frage des Standpunkts. Und aus der Sicht der Büros? Um sie geht es hier doch schließlich. Nun, Büros können zwar eine Aussicht haben, aber ihnen ist es egal, ob man sie mietet oder vermietet. Es kommt für sie aufs Gleiche raus.

Wer es gewohnt ist, Wörter auf die Goldwaage zu legen, könnte argumentieren, dass »zu vermieten« streng genommen als Aufruf an Makler interpretiert werden müsse, sich als Vermieter zu betätigen: »Ich habe hier eine leer stehende Büroetage und suche jemanden, der sie für mich vermietet.« Das ist allerdings eher unwahrscheinlich.

Doch bevor wir Hilfe aus Brüssel erwarten oder weiter über innere und äußere Sichtweisen philosophieren, schauen wir uns doch lieber an, wie die Sache üblicherweise gehandhabt wird.

Wer gewerblich Fahrräder verleiht, der betreibt einen Fahrradverleih – und keinen Fahrradleih. (Die juristische Unterscheidung zwischen »leihen« und »mieten« sei dabei mal außen vor gelassen.) Wer einen gebrauchten Kühlschrank abgeben will, der schreibt in seiner Anzeige »Kühlschrank günstig abzugeben« und nicht etwa »Kühlschrank günstig anzunehmen«. Wer den unerwarteten Nachwuchs seiner Hauskatze loswerden will, der inseriert »Junge Kätzchen zu verschenken« und bestimmt nicht »Junge Kätzchen geschenkt zu bekommen«. Üblicherweise also sind Anzeigen dieser Art stets aus der Sicht des Verkäufers formuliert. Als Anbieter formuliert man das Angebot – und nicht die Nachfrage.

»Büros zu vermieten« ist die im Deutschen übliche Formulierung. Wer »Büros zu mieten« anbietet, begeht zwar keinen grammatischen Fehler, schwimmt jedoch sprachlich gesehen gegen den Strom. Vielleicht ist es ein Streit um des Kaisers Bart. Zu mieten oder zu vermieten – mir soll beides recht sein. Solange ich nicht irgendwo lesen muss: »Büroräume in dominanter Ecklage mietbar«.

Wenn du und er wollt

Es ist nicht immer leicht, ich, du, er, sie und es unter einen Hut zu bekommen. Jedenfalls in sprachlicher Hinsicht. Wie lange kennt du und er euch schon? Haben ihr und ich uns noch etwas zu sagen? Sätze wie diese klingen ungewohnt, wenn nicht gar falsch. Sie sind aber korrekt.

Vor ein paar Tagen fand ich im Briefkasten eine Karte von meiner Freundin Tina. Sie schickte mir sonnige Grüße, verbunden mit einer Einladung ins Kino. Henry solle auch mitkommen. »Wir können uns ›Sex and the City‹ ansehen«, schrieb sie, »wenn Henry und du Lust hast«. Das Wort »hast« war durchgestrichen und durch »haben« ersetzt. Und hinter »haben« hatte Tina ein Sternchen gemacht, das auf eine kleingeschriebene Fußnote am Rand verwies: »Nicht mal ne Einladung zum Kino kann man schreiben, ohne über die Grammatik zu stolpern!« Und dann hatte sie noch einen Smiley dazu gemalt und geschrieben: »Wehe, du machst daraus eine Kolumne!« Nun, dachte ich, wenn ich so charmant dazu aufgefordert werde – schreibe ich also was darüber.

Zunächst einmal ist festzuhalten, dass der Satz auf Tinas Karte auch durch die Korrektur nicht richtig wurde. Das Konjugieren von Verben bei mehrteiligem Subjekt bereitet immer wieder Probleme, obwohl es hierzu eindeutige Regeln gibt: Ich und er ergibt »wir«; du und er ergibt »ihr«. »Wenn Henry und du Lust habt« wäre nach dieser Regel also die richtige Form. Es lässt sich aber nicht bestreiten, dass dies ein bisschen seltsam klingt. Im alltäglichen Sprachgebrauch wird es eher vermieden, Sätze mit einem Subjekt zu bilden, das aus einer Aufzählung aus mehreren

Meine Katze und ich...

Personen besteht. Seltsam wird es jedenfalls immer dann, wenn dabei erste, zweite und dritte Person zusammentreffen und womöglich die eine Person im Singular und die andere im Plural steht. Eine Konstruktion nach dem Muster »Du und meine Eltern seid ein tolles Team« ist korrekt, aber eher ungewohnt. Meistens hilft man sich mit einer Zäsur: »Du und meine Eltern, ihr seid ein tolles Team.«

Ich mag ja nicht nur »Sex and the City«, sondern auch die »Simpsons«. Im Zeitschriftenladen am Bahnhof kaufe ich mir gelegentlich ein »Simpsons«-Comicheft als Reiselektüre. Aus dem Heft mit der Nummer 138 stieg eine Sprechblase auf, die unter grammatischen Gesichtspunkten bald zerplatzen musste. In der Geschichte hatte Herr van Houten seinen unsportlichen Sohn Milhouse zu einem Angelausflug überredet und Homer und Bart Simpson zur moralischen Unterstützung mitgenommen. Dankbar sagte er zu Homer: »Dass du und Bart hier sind, macht alles leichter.« Nur das Konjugieren nicht. Denn richtig hätte es heißen müssen: »Dass du und Bart hier seid.« Insofern stellen die Simpsons hier abermals unter Beweis, dass ihre Gegenwart selten etwas leichter macht. Sonst wären sie auch nicht so unterhaltsam.

Passend zu diesem Thema wandte sich ein Leser mit der Frage an mich, ob der Satz »Hier ist ein Foto, auf dem du und deine Katze gemeinsam zu sehen sind« richtig sei – oder ob es nicht »zu sehen seid« heißen müsse. Tatsächlich ist Letzteres die richtige Variante. Du und deine Katze *seid* gemeinsam auf dem Foto zu sehen. Die zweite Person dominiert die dritte Person. Und die erste dominiert die zweite und die dritte. Aus »du bist« und »er ist« wird »du und er seid«, und wenn noch ein »ich« ins Spiel kommt, wird daraus »du und er und ich sind«. Dabei spielt es keine Rolle, in welcher Reihenfolge die Personen genannt werden.

Diese Regel betrifft auch das Reflexivpronomen. Wenn zwei sich streiten, freut sich der Dritte, lautet eine bekannte Redensart. Aber wenn einer von beiden du bist, dann heißt es nicht etwa »Wenn du und er sich streiten«, sondern »Wenn du und er euch streitet«. So heißt es auch nicht »Du und deine Brüder können sich freuen«, sondern »Du und deine Brüder könnt euch freuen«.

Als Henry und ich uns mit Tina treffen, beschließen wir aufgrund des schönen Wetters, vor dem Kinobesuch noch ein Eis essen zu gehen. Tina will aber nicht in der Sonne sitzen. Henry und ich wollen schon. »Dann müssen wir eben einen Tisch finden, bei dem ihr in der Sonne und ich im Schatten sitzen kann«, sagt Tina – und hält inne: »Nein, können – oder könnt?« Henry grinst. Ich setze eine Unschuldsmiene auf. Tina verdreht die Augen: »Das macht mich ganz irre! Ich verabrede mich nie wieder mit euch beiden gleichzeitig!«

1. Person + 2. Person (Singular und Plural)	wird zu	1. Person Plural
ich und du/du und ich ... ich und ihr/ihr und ich ... wir und du/du und wir ... wir und ihr/ihr und wir ...	(= wir)	... sind uns einig ... haben uns geeinigt ... werden uns einigen
1. Person + 3. Person (Singular und Plural)	wird zu	1. Person Plural
ich und er/er und ich ... ich und sie/sie und ich ... wir und er/wir und sie ...	(= wir)	... sind uns einig ... haben uns geeinigt ... werden uns einigen
2. Person + 3. Person (Singular und Plural)	wird zu	2. Person Plural
du und er/er und du ... du und sie/sie und du ... ihr und er/er und ihr ... ihr und sie/sie und ihr ...	(= ihr)	... seid euch einig ... habt euch geeinigt ... werdet euch einigen

Was meint eigentlich Halloween?

Groß ist das Gejammer über Anglizismen. Wörter wie »Sale«, »Flatrate« und »Coffee to go« sind kaum noch aus unserer Sprache wegzudenken. Es gibt aber noch ganz andere Anglizismen, solche, die man nicht auf den ersten Blick erkennt. Frühe Vögel zum Beispiel. Oder Dinge, die eine Meinung haben. Kürbisse mit Fratzen. Und Rehe mit Hirschgeweih.

Anglizismen sind längst nicht nur Wörter, die eins zu eins aus dem Englischen übernommen wurden. Es sind darüber hinaus sprachliche Muster, deren englische Herkunft auf den ersten Blick gar nicht zu erkennen ist. Eine Redewendung wie »Der frühe Vogel fängt den Wurm« zum Beispiel ist ein Anglizismus. Sie entstand durch Übersetzung aus dem Englischen (»The early bird catches the worm«) und kommt nun als scheinbar deutsche Weisheit daher. Die deutsche Entsprechung lautet nämlich ganz anders: »Wer zuerst kommt, mahlt zuerst.« Da heute aber kaum noch jemand sein Getreide zur Mühle bringt und da überhaupt nur noch die wenigsten den Unterschied zwischen »mahlen« und »malen« kennen, gerät die deutsche Redewendung langsam in Vergessenheit. Unter Vögeln und Würmern kann sich selbst der naturentwöhnte Stadtmensch noch etwas vorstellen.

Auch die immer häufiger zu hörende Phrase »das meint« ist ein Anglizismus. Zitat aus einer Veröffentlichung des Goethe-Instituts: »Die Fort- und Weiterbildung der Älteren, und das meint bereits die über Vierzigjährigen, wird sehr stark vernachlässigt.« Vorbild für diese Konstruktion ist das englische Idiom »that means«, und das bedeutet »das bedeutet«. Worte, Zeichen und Ereignisse haben keine Meinung, sondern eine Bedeutung. Wer »that means« mit

»das meint« übersetzt, ist sich des Bedeutungsunterschiedes zwischen »Bedeutung« (engl. »meaning«) und »Meinung« (engl. »opinion«) offenbar nicht bewusst. »Kinderarmut, das meint laut Deutschem Kinderschutzbund ein Leben auf Sozialhilfe-Niveau«, meinte die »Westdeutsche Allgemeine Zeitung« (WAZ) in einem Artikel, der sogar noch mit »Armut meint ...« überschrieben war. Dass Armut zwar Ursachen und Auswirkungen, aber keine Meinung haben kann, weil sie kein denkendes Wesen ist, ist offenbar niemandem in den Sinn gekommen. Den WAZ-Redakteuren erschien die Phrase offenbar sinnvoll, wenn sie in ihren Augen nicht gar »Sinn machte«.

In Wirtschaft und Politik wird immer seltener der Blick in die Zukunft gewagt. Die meisten Voraussagen reichen nur noch bis zum »Ende des Tages«. So warf der Vorstandsvorsitzende eines Reifenherstellers der Gewerkschaft vor, sie würde ihn zum Buhmann machen, »um sich am Ende des Tages von der Globalisierung abzukapseln«. Auch Edmund Stoiber fürchtet das Ende des Tages: »Wenn wir dieses Wahlergebnis nicht sorgfältigst analysieren«, sprach er nach der Bundestagswahl 2000 vor Parteimitgliedern, »dann besteht die große Gefahr, dass sich die Union, ihre Anhänger, ihre Wähler, ihre aktiven Mitglieder vor Ort und am Ende des Tages ganz Deutschland daran gewöhnt, dass wir immer Wahlergebnisse irgendwo in den Dreißigern bekommen.« Die englische Metapher »at the end of the day« bedeutet »letzten Endes«, »schließlich«, »am Ende« oder »unterm Strich«. Für die meisten Deutschen ist das »Ende des Tages« aber keine rhetorische Figur, sondern nichts anderes als der Abend. Die Verwendung im Sinne von »schließlich« ist ein Anglizismus. Die meisten heutigen Anglizismen sind in Wahrheit natürlich Amerikanismen, da wir sie nicht aus dem britischen, sondern aus dem amerikanischen Englisch übernommen haben. Und nicht nur Sprachwissenschaftler registrieren Amerikanismen. Auch Landwirte, Förster und Biologielehrer müssen sich mit ihnen auseinandersetzen.

Einer der bekanntesten Amerikanismen ist Walt Disneys Bambi. Wir Deutschsprachigen halten Bambi alle für ein Reh, was es in der Romanvorlage des Österreichers Felix Salten auch ist.[*] Doch als Walt Disney in den dreißiger Jahren die Rechte an dem Stoff erwarb, um daraus einen Zeichentrickfilm zu machen, verwandelte er Bambi kurzerhand in einen Hirsch. Denn in Amerika gibt es keine Rehe. Stattdessen gibt es dort Weißwedelhirsche, benannt nach ihrem weißen Schwanz (= Wedel). Die amerikanischen Kinder sollten ein Tier sehen, das sie kannten, also wurde das Zeichentrick-Bambi, das 1942 auf der Leinwand erschien, nicht von einer Rehricke, sondern von einer Hirschkuh aufgezogen, und am Ende wächst ihm ein prächtiges Hirschgeweih.

In der deutschen Synchronfassung aus dem Jahre 1950 wurde das Wort »deer« (engl. für Hirsch) wieder mit »Reh« übersetzt. Die Verwechslung wurde durch die Tatsache begünstigt, dass Rehkitze und Weißwedelhirschkälber einander sehr ähnlich sind. Die jungen Kinobesucher schlussfolgerten: Wenn Bambis Mutter ein Reh ist, sein Vater ein Hirschgeweih trägt, dann musste also das Reh das weibliche Pendant zum Hirsch sein. Mehrere Generationen von Schulkindern wuchsen in dem Glauben auf, dass Reh und Hirsch zusammengehören so wie Kater und Katze, Eber und Sau, Erpel und Ente, Siegfried und Roy.

---

[*] Felix Salten: Bambi. Eine Lebensgeschichte aus dem Walde. Berlin, Ullstein, 1923.

Dieser Irrglauben, inzwischen auch als »die Bambi-Lüge« bekannt, hat sich bis heute gehalten. In einer aktuellen Umfrage ermittelte die Deutsche Wildtier-Stiftung, dass nahezu zwei Drittel der Kinder (nämlich 62 Prozent) überzeugt sind, das Reh sei die Frau vom Hirsch.

Einer der erfolgreichsten kommerziellen Amerikanismen zeigt uns alljährlich im Oktober seine gruselige Fratze: Mit viel Werbung und Rückendeckung aus Hollywood ist es dem deutschen Einzelhandel gelungen, das amerikanische Kinderschreckfest Halloween auch bei uns in Deutschland einzuführen. »Halloween« hat übrigens nichts mit »Hallo«

zu tun, sondern ist die Kurzform von »All Hallow Evening«, zu Deutsch: der Abend vor Allerheiligen. Seit es das nun auch bei uns gibt, werden immer mehr Kohl- und Rübenäcker zu Kürbisfeldern umgewidmet. Und Fluggäste wundern sich über die leuchtend orangefarbenen Flecken in der Norddeutschen Tiefebene. Der Kürbiskult ist schön für die Landwirtschaft, die jeden Profit brauchen kann. Ob die deutsche Kultur Halloween braucht, konnte noch nicht überzeugend beantwortet werden. Den Kindern dürfte es ziemlich egal sein, solange es Süßes gibt. Aber wenn der frühe Vogel bereits Sinn macht, dann wird am Ende des Tages auch Halloween für jedermann etwas meinen.

Teechen oder Käffchen?

Manche Dinge versucht man sich schönzureden, um sie zu ertragen. Andere versucht man kleinzureden. Dann muss man sie weniger fürchten. Denn was können ein oder zwei Bierchen und ein paar Schnäpschen schon ausrichten? In diesem Sinne: Prösterchen!

Das Picknick am See hatte ganz beschaulich begonnen. Henry und ich knabberten Brot und Käse und tranken dazu Rotwein aus Gläsern. Später lasen wir Zeitung oder sahen den Schwänen beim lautlosen Dahingleiten zu. Nach einiger Zeit erhielten wir Gesellschaft: Ein paar Meter weiter ließ sich eine Gruppe von fünf Frauen um die dreißig nieder. Im Handumdrehen war die Luft von quirligem Stimmengewirr erfüllt. »Wer will denn was von dem Salätchen?«, schallte es zu uns herüber. »Probier mal die Nüdelchen, die sind köstlich!«, tönte eine zweite Stimme. »Sind noch Gürkchen da?«, war eine andere zu vernehmen. »Wie wär's jetzt mit einem Sektchen?«, flötete kurz darauf eine weitere. »Gerne, aber wirklich nur ein klitzekleines Gläschen!«, wurde ihr geantwortet.

Henry stöhnte leise: »Alle meine Gänschen sind da!« – »Wo kommen die denn auf einmal her?«, fragte ich verwundert. »Ich schätze mal, die hat uns dein Verleger geschickt«, raunte Henry mit einem zynischen Grinsen, »damit du Stoff hast für ein neues Kapitel – über infantiles Verniedlichungsgebrabbel!« – »Du meinst Stöffchen für ein neues Kapitelchen?«, fragte ich nach. »Genau!«, entgegnete Henry, »die Welt dieser fröhlichen Damen scheint ausschließlich aus Dingen zu bestehen, die auf -chen enden.«

»Ich krieg das nicht auf!«, jammerte in diesem Moment
eine der Frauen mit auffallend rotem Haar und hielt die
Flasche einer der anderen Frauen hin: »Versuch du's mal!«
Die andere, eine Brünette, deutete in unsere Richtung und
sagte: »Frag doch die Herren da drüben! Die helfen bestimmt gerne!« – »Gute Idee!«, meinte die Rothaarige, er-
hob sich von der Decke und bewegte sich mit federndem
Gang auf uns zu. »Hallöchen, Jungs! Wir könnten eure
Hilfe brauchen!« Henry richtete sich auf: »Ihr bekommt das
Fläschchen nicht auf? Kein Problemchen! Nur her damit,
ich mach das schon!« Ein »Momentchen« später gab es einen Plopp, ein paar Spritzerchen auf die Hose, ein begeis-
tertes Quieken seitens der Rothaarigen, gefolgt von einem
glücklichen »Supi! Dankeschöni!« – »Gerni!«, entgegnete
Henry mit einer Beherrschtheit, für die ich ihn nur bewun-
dern konnte. »Ich war mit meinem Urteil vorhin etwas
vorschnell«, raunte er dann in meine Richtung, »es gibt in

ihrer Welt nicht nur Dinge auf -chen, sondern auch noch welche auf -i!« Ehe unsere Nachbarinnen auf die Idee kommen konnten, uns zu ihrem Umtrunk oder Umtrünkchen einzuladen, rafften wir unsere Sachen zusammen und ergriffen die Flucht. »Tschüsselchen!«, rief uns die Rothaarige nach. Wir winkten wortlos zurück. Als wir den Weg erreicht hatten, konnten wir noch hören, wie die fünf einander vergnügt zuprosteten: »Stößchen!«, schallte es über die Wiese.

Es ist ein durchaus verständlicher Vorgang, wenn man sich gewisse Dinge schönzureden versucht. Ein vielleicht nicht ganz so verständlicher, aber keinesfalls weniger geläufiger Vorgang ist es, sich Dinge kleinzureden. Durch sprachliche Verkleinerung verliert manches seinen Schrecken. Die gemeine hüftverstärkende Praline beispielsweise klingt weniger kalorienreich, wenn man sie sich als »Pralinchen« einverleibt. Ein *Eckchen* hiervon, ein *Ideechen* davon, das fällt buchstäblich nicht ins Gewicht. Und wer anstelle von einem Bier nur ein *Bierchen* bestellt, der kann sich sogar noch ein *Schnäpschen* genehmigen, ohne das Gefühl haben zu müssen, etwas wirklich Alkoholisches zu sich zu nehmen. Wenn meine Nachbarin mich fragt, ob ich während ihrer Abwesenheit ihre »Zimmerpflänzchen und die Blümchen auf dem Balkon« gießen könne, so treibt sie dabei vermutlich die Vorstellung an, die Bitte würde weniger lästig erscheinen, wenn sie ihre Pflanzen und Blumen zu Pflänzchen und Blümchen verkleinert. In meinem Wörterbüchlein wird erklärt, dass ein sogenanntes Diminutiv (eine Verkleinerungsform) oft »emotionale Konnotationen hat und auch als Koseform gebraucht« wird. Vielleicht hat meine Nachbarin ihre Pflänzchen und Blümchen auch einfach nur ganz schrecklich lieb.

Ein Diminutiv kann auch eine ironisierende Wirkung haben, so wie bei »Dir werd ich's zeigen, Bürschchen«, »Mit dem hab ich noch ein Hühnchen zu rupfen« und »Da habe ich wohl noch ein Wörtchen mitzureden«.

Im Laufe der Sprachentwicklung hat das eine oder andere Diminutiv eine Bedeutung angenommen, die nur noch entfernt mit dem Wort zu tun hat, aus dem es gebildet wurde. Das Wort »Grübchen« kommt zwar unbestreitbar von Grube, ist aber nicht gleichbedeutend mit »kleine Grube« – wer würde Grübchen schon als »kleine Gesichtsgruben« bezeichnen? Dass wir Ohrläppchen haben, impliziert die Tatsache, dass es eigentlich auch Ohrlappen geben müsste. Bei Elefanten vielleicht. Wer Plätzchen backt, der backt nicht etwa kleine Plätze. Wer schon mehrere Knöllchen kassiert hat, braucht nicht die ganz große Knolle zu fürchten. Und Fältchen haben selbstverständlich nicht das Geringste mit Falten zu tun, das wird Ihnen jede Kosmetikerin unter Eid bestätigen!

Von einigen Wörtern ist sogar nur noch die Verkleinerungsform erhalten. Das Wort »Mädchen« zum Beispiel war mal die Verniedlichung des Wortes »Maid«, von dessen Existenz man gar nichts mehr wüsste, würde im Radio nicht ab und zu noch mal Tony Marshalls 70er-Jahre-Schlager »Schöne Maid, hast du heut für mich Zeit – hoja hoja ho!« gespielt. Und das alte Wort »Mär«, welches Nachricht, Kunde bedeutete, wäre ebenfalls gänzlich in Vergessenheit geraten, würden wir nicht regelmäßig zur Weihnachtszeit durch das Martin-Luther-Lied daran erinnert: »Vom Himmel hoch, da komm ich her, ich bring euch gute neue Mär.« Von der großen Mär ist heute nur noch das kleine Märchen geblieben. Auch das »Kaninchen« gibt es nur noch in Klein. Das große »Kanin« ist bei uns seit Langem ausgestorben. Die Holländer haben es seinerzeit immerhin noch in die Neue Welt exportiert: Das Konijn wurde Namensgeber der New Yorker Halbinsel Coney Island, die demnach ursprünglich eine Kanin(chen)insel war.

Des Kaninchens großer Bruder, der Hase, ist zwar immer wieder mal von Ausrottung bedroht, hat sich aber zumindest in der Sprache der Verliebten einen unsterblichen Platz ergattert: als Hasi, Häschen, Hasilein, Häslein, Häsel und – als biologisch äußerst bemerkenswerte Kreuzung – als Hasimaus*. Und auch der Bär – eigentlich ein furchteinflößendes, massiges Raubtier – rangiert in seiner verkleinerten Form als *Bärche*n unter den beliebtesten Kosenamen ganz weit vorn, ungefähr gleichauf mit dem Mäuschen.

An dieser Stelle wäre vielleicht ein Quentchen mehr Sachlichkeit angebracht. Oder ein Quäntchen. Das Quentchen schreibt sich nach den neuen Regeln der Rechtschreibung nämlich mit einem »ä«, weil es von vielen offenbar als Verkleinerung des lateinischen Wortes Quantum oder Quant verstanden wird, welches wiederum die semantische Grundlage der Quantenphysik bildet – und des James-Bond-Abenteuers »Ein Quantum Trost«. Tatsächlich geht das Quentchen aber auf das Wort Quent zurück, eine Bezeichnung für eine alte Gewichtseinheit. Ein Quent war der fünfte Teil (von lateinisch quintus) eines Lots und entsprach 3,65 Gramm. Das war nicht viel, sodass man schon ein »chen« anhängen musste, um das Quent überhaupt wahrzunehmen.

---

* Wobei es tatsächlich ein Tier namens Hasenmaus gibt. Es sieht aus wie ein Kaninchen mit einem langen Schwanz, ist aber weder Hase noch Maus, sondern gehört zur Familie der Chinchillas.

Eine andere Einheit für etwas sehr Kleines ist das Dötzchen, auch Dötzken oder Dötzeken genannt. Es kommt aus dem Rheinland und geht zurück auf das Wort »Dotz«. Ein Dotz war mal ein deutsches Wort für Punkt. Das englische »dot«, das sich heute vor jedem »com« befindet, ist damit verwandt. Ein i-Dötzchen war also ein i-Punkt, ein sehr kleiner Punkt, ein Pünktchen gewissermaßen, und weil das i einst der erste Buchstabe war, den man im Schreibunterricht lernte, wurden die Schulanfänger i-Dötzchen genannt: i-Pünktchen. Darüber hinaus hat das Rheinische noch jede Menge andere köstliche Verniedlichungsformen zu bieten. Berühmt (und bei allen Nicht-Rheinländern gefürchtet) sind zum Beispiel die Bützchen oder Bützje (= Küsschen), die im Karneval genau wie die berühmte Kamelle ziemlich wahllos in die Menge geworfen werden.

Ein besonders entzückendes Diminutiv ist das rheinische Wort für Rosenkohl: Poppeköchekäppesche. Das muss man sich auf der Zunge zergehen lassen! Auch andere Dialekte haben ihre ganz speziellen Verkleinerungsformen. Im Schwäbischen und im Badischen wünscht man sich »Gut's Nächtle« und verabschiedet sich mit einem »Adele!«. Am Niederrhein kauft man die Zeitung am *Büdchen* (Kiosk), verputzt mittags ein *Frikadellchen* und schleckt bei schönem Wetter das eine oder andere *Bällchen* (eine Kugel Eis). So weit, so putzig.

Bedenklich wird die Sache ja erst, wenn sie zum Sächelchen wird; wenn man etwa zum Frühstück ein Eichen angeboten bekommt. Für Henry ist dann definitiv Schluss. »Hör ich Eichen, muss ich weichen!«, lautet sein Motto für den Morgen danach. Henrys Toleranz für sprachlichen Firlefanz hat klare Grenzen. An denen ist letztlich wohl auch seine Ehe zerschellt. Wenn seine Frau sich nach eigenen

Angaben *ein entzückendes Paar Schühchen* oder *ein süßes kleines Handtäschchen* gekauft hatte, dann erwartete er, dass die vermeintlichen Schühchen auch deutlich billiger waren als normale Schuhe, und das süße Täschchen durfte nicht halb so viel kosten wie eine ausgewachsene Tasche. Dem war natürlich nie so. Zwar behauptete seine Frau stets, ein tolles Schnäppchen gemacht zu haben, aber Henry sah das anders. »Bei diesen Preisen ist das Wort *Schnäppchen* völlig unangemessen. Es müsste Schnappen heißen!«, fand er.

Als Dank fürs Blumengießen lädt mich meine Nachbarin ein paar Tage später zu frisch gebackenem Kuchen in ihre Wohnung. »Teechen oder Käffchen?«, fragt sie, kaum dass ich Platz genommen habe, womit sie mich in eine unangenehme Lage bringt, denn ich weiß im Moment wirklich nicht, wen ich lieber haben soll: das süße, knuddelige Teechen oder das niedliche, schnuffige Käffchen. Weil ich mich nicht entscheiden kann, sage ich: »Fürs Erste hätte ich einfach nur gern ein Glas Wasser.« – »Ein Wässerchen, natürlich, kommt sofort«, sagt meine Nachbarin fröhlich. Na supi, denke ich, alles klärchen!

Stille Wässer sind tief

Wasser hat keine Balken, weiß der Volksmund. Manchmal aber hat Wasser Pünktchen – wenn aus einem Wasser mehrere Wässer werden. Aber Moment – kann es denn überhaupt mehr Wasser als eines geben?

Das Leben ist ein ständiger Lernprozess. Jeder Tag bringt neue Einsichten, und sei es nur die Erkenntnis, dass man sich über irgendein total wichtiges Problem noch nie Gedanken gemacht hat. Ich kann mich noch gut daran erinnern, als ich mich zum ersten Mal mit der Frage konfrontiert sah, wie die Mehrzahl von »Wasser« lautet: Heißt es Wasser oder Wässer? Was für eine Frage, dachte ich im ersten Moment, Wasser ist doch unzählbar, wieso sollte man davon die Mehrzahl bilden? Andererseits – wieso eigentlich nicht? Schließlich lassen sich selbst aus Luft noch Lüfte machen und aus der unaufhörlich verrinnenden Zeit unterschiedliche Zeiten gewinnen. Warum sollte es dann nicht auch vom Wasser eine Mehrzahl geben? Zumal es Wasser in allen möglichen Formen gibt: als Süßwasser, Salzwasser, Trinkwasser, Kochwasser, Tafelwasser, Leitungswasser, Abwasser, Spülwasser, Badewasser, Waschwasser, Fruchtwasser und Zuckerwasser.

Spätestens beim Preisvergleich im Getränkemarkt drängt sich die Frage nach dem Wasser-Plural auf: Da gibt es nämlich billigere und teurere Mineralwasser … oder sind es Mineralwässer? Wird das Wasser-»a« im Plural umgelautet? Verschiedene Ableitungen des Wortes sprechen dafür: Gewässer, Bewässerung, entwässern, verwässert, wässrig … Abgeleitetes Wasser bekommt also oft ein »ä« – aber gilt das auch für die Mehrzahl?

Schaut man sich klangähnliche Wörter auf -sser an, so findet man den Hauptklang im Plural unverändert: Gefängniswärter sind keine Aufpässer, sondern Aufpasser, und in einem Schlossereibetrieb arbeiten Schlosser und keine Schlösser. Demnach werden aus Wasser auch keine Wässer. Man kann sprichwörtlich »mit allen Wassern gewaschen sein« – aber kaum »mit allen Wässern«.

Das Umlauten ist eine deutsche Spezialität, deren Gesetze in der Praxis unterschiedlich ausgelegt werden. Nicht selten kommt es vor, dass uns jemand ein »ä« für ein »a« vormachen will. Manch einer bastelt aus Strohhalmen »Strohhälme« und zeigt im Internet Bilder von seinen niedlichen »Hünden«. Und der Streit darüber, ob der Plural von »Wagen« nun »Wagen« oder »Wägen« lautet, wird wohl nie enden. Darüber sind schon viele Studienratskragen geplatzt – wenn es nicht gar Krägen waren.

Manchmal aber setzen sich Formen durch, die es streng genommen nicht geben dürfte. Bisweilen schafft die Ausnahme nämlich größere Klarheit als die Regel. Daher gibt es auch die Pluralform »Wässer« – und zwar dann, wenn zwischen mehreren Wassersorten unterschieden wird. Laut Duden ist es zulässig, in Flüsse und Meere sowohl giftige Abwasser als auch giftige Abwässer einzuleiten. Und daher darf man genauso zwischen verschiedenen Mineralwässern unterscheiden wie zwischen Mineralwassern.

Folglich ist es nicht falsch, wenn über der Klosettschüssel auf der Zugtoilette der Hinweis steht: »Nur für WC-Abwässer und Toilettenpapier!« Allerdings kann man sich fragen, warum die Bahn das Wort Abwasser für mehrzahlfähig hält, das Wort Papier hingegen nicht. Wenn schon Abwässer, warum dann nicht auch Toilettenpapiere?

Beim Mineralwasser bereitet übrigens nicht nur die Frage des Plurals Probleme, sondern auch die Frage der Zusammensetzung. In der Theaterpause bestelle ich am Erfrischungsstand im Foyer ein Wasser. »Stilles Wasser oder Mineralwasser?«, fragt die Bedienung, ein junger Mann mit feschem Käppi und modischem Bärtchen. Ich blicke etwas irritiert und sage: »Ein stilles Mineralwasser, bitte!« Nun ist es an der Bedienung, irritiert zu blicken: »Was denn jetzt – wollen Sie ein Mineralwasser oder ein stilles Wasser?« Mein Versuch, den jungen Mann darüber aufzuklären, dass auch stille Wasser mineralhaltig seien, dass es also nicht sehr sinnvoll sei, zwischen stillem Wasser und Mineralwasser zu unterscheiden, zeitigt bedauerlicherweise keinen Lernerfolg. Im Gegenteil, er scheint mich plötzlich als eine Bedrohung zu empfinden, als jemanden, der sein Sprudelverständnis ins Wanken bringen will. »Geben Sie mir ein Wasser ohne Kohlensäure, bitte«, sage ich – und mache es dadurch nur noch schlimmer. Das Wort »Kohlensäure« ist nämlich längst nicht mehr jedem bekannt. Die Jüngeren pflegen heute vielmehr zwischen Wasser »mit Gas« und »ohne Gas« zu unterscheiden. Das haben sie von den Spaniern übernommen, bei denen man im Lokal »agua mineral con gas« oder »sin gas« bestellt. Wenigstens kein Anglizismus, sondern mal ein Hispanismus. Der junge Mann am Getränkestand denkt offenbar, Kohlensäure sei ein Mineral, jedenfalls reicht er mir kurzerhand ein Glas Leitungswasser.

Immerhin noch Wasser. Ein Verkaufsschild vor einem Supermarkt im niedersächsischen Hämelerwald preist »Wasser ohne H_2O« an. Chemie war ja nie meine Stärke, aber diese Produktbeschreibung kam sogar mir nicht ganz wasserdicht vor. (Die chemische Formel für Kohlensäure lautet H_2CO_3.)

Ich trinke das Glas in einem Zug leer und muss aufstoßen. »Nanu«, wundert sich meine Begleitung, »hattest du nicht ein Wasser ohne Sprudel bestellt?« – »Du weißt doch«, erwidere ich, »stille Wässer sind tief!«

Geradewegs auf die schiefe Ebene

Der Physiker kennt die Gradabweichung, der Bergsteiger fürchtet die Gratabweichung; denn schon die geringste Abweichung vom Grat kann zum Absturz führen. Auch in der Orthografie wandern wir oft auf schmalem Grat, und in Unkenntnis der Sachlage entscheiden wir uns gern aufs Granatewohl.

Im Frühjahr konnte ich mich beim Besuch eines Gymnasiums davon überzeugen, dass der Grammatikunterricht doch noch nicht überall abgeschafft worden ist. Vielleicht war er es auch zwischenzeitlich und wird nun langsam wieder eingeführt. Jedenfalls sah ich mich einem Haufen höchst aufgeweckter und wissbegieriger Schüler gegenüber, die mich mit Fragen zur Grammatik bombardierten. Ein paar Fünftklässler meldeten sich zu Wort, die gerade etwas über den Unterschied zwischen Adjektiven und Adverbien gelernt hatten, und zwar dass Adverbien sich im Unterschied zu Adjektiven nicht steigern lassen. »Von ein paar Ausnahmen abgesehen ist das richtig«, erwiderte ich und illustrierte das Ganze mit einem Beispiel: Ein Wort wie »wenig« ist ein Adjektiv, weil man es zu »weniger« und »am wenigsten« steigern kann, »kaum« hingegen ist ein Adverb, weil es »kaumer« kaum gibt und »kaumsten« am erst rechtesten nicht.

Nun meinten die Schüler, dass dieser Regel zufolge das Wort »gerade« kein Adjektiv sein könne, weil sich »gerade« doch wohl nicht steigern lasse. Oder könne irgendetwas gerader als gerade sein? Bei geraden Zahlen zumindest sei das doch wohl sehr schwierig. Und bei geraden Linien? Ganz schön pfiffig, diese kleinen Menschen, dachte ich und erklärte dann, dass die Sprache viel mehr Dinge zulasse als die Logik. Darum können zum Beispiel manche Ortschaften toter als tot sein, und selbst die leerste Versprechung könne noch von einer leereren übertrumpft werden. (Das Beispiel war nicht besonders glücklich gewählt, denn die Schüler verstanden »Selbst die leerste Versprechung könne noch von einer Lehrerin übertrumpft werden«, worauf meine Rede in schallendem Gelächter unterzugehen drohte.) Die Sprache lässt eine Steigerung von absoluten Eigenschaften wie »tot«, »leer« und »gerade« zu. Ob »toter«, »leerer« und »gerader« in der Praxis einen Sinn ergeben, steht auf einem anderen Blatt. Selbst das Wort »schwanger« lässt sich steigern. So munkelte eine Kollegin einmal: »Ich bin mir sicher, dass unsere Volontärin schwanger ist! Guck doch mal genau hin! Ich finde, die sieht von Tag zu Tag schwangerer aus!«

Zur Geradheit von Geraden fiel mir noch etwas aus dem Physikunterricht ein. »Parallelen berühren einander in der Unendlichkeit«, hatte ich damals gelernt. Ein Widerspruch in sich, den ich nur allzu dankbar hinnahm, denn er verlieh der leblosen Physik geradezu menschliche Züge. In diesem Paradoxon aus »immerzu gerade nebeneinanderher verlaufen, um sich doch irgendwann schließlich zu berühren und zu vereinen« erkannte ich eine Hoffnung auf eine Versöhnung für all die Dinge, die einander grundsätzlich auszuschließen schienen, so wie Kapitalismus und Kommunismus, Fußball und Fantasie, Jungen und Mädchen, Sprache und Logik. In der Unendlichkeit finden sie zusammen, in der Unendlichkeit berühren sie einander und werden eins. Die Sprache wird logisch und die Logik sprachlos. Dann wird sich zeigen, welche der Geraden die geradeste war.

Dass das Leben eher in Auf- und Abwärtskurven als in geraden Linien verläuft, habe ich ja schon früh erkannt: Es geht im Leben eben nicht immer eben und auch nicht gerade immer gerade. Später habe ich außerdem begriffen, dass die Entscheidung zwischen Richtig und Falsch oft eine schwierige Gratwanderung ist.

Für manchen ist sie auch eine Gra**d**wanderung, so wie für jenen Redakteur von stern.de, der die bevorstehende Sanierungsarbeit eines deutschen Managers beim amerikanischen Automobilkonzern Chrysler mit den Worten kommentierte: »Sein Job wird eine einzige Gradwanderung werden.« Selbst bei dieser Schreibweise hatte der Redakteur jedoch nicht ganz Unrecht, denn das Hin und Her zwischen Deutschland und den USA bedeutet jedes Mal einen Wechsel von der Celsius-Zone ins Fahrenheit-Gebiet, insofern tatsächlich eine Wanderung zwischen den Graden.

Der Grat indes hat nichts mit Temperaturen oder Winkeln zu tun, sondern mit Gebirgskämmen. (Obwohl natürlich auch im Gebirge Temperaturen und Positionsberechnungen eine Rolle spielen. Man kann also durchaus die Frage stellen: »Wie viel Grad hat's am Grat grad?«) Während der Grad, der immer häufiger auch das Grad genannt wird, auf das lateinische Wort *gradus* (= Schritt, Stufe, Rang) zurückgeht, ist der Grat ein Verwandter der Gräte – und des menschlichen Rückgrats, eines offenbar entbehrlichen Körperteils; denn vielen Menschen wird nachgesagt, dass sie keines haben. Ich habe als Kind geglaubt, es heiße Rückrad, und wenn von irgendjemandem behauptet wurde, er habe »kein Rückrad«, dann dachte ich, es handele sich um einen bedauernswerten Autofahrer ohne Reservereifen.

Dass uns gerade ein Wort wie »gerade« sprachlich immer wieder auf die schiefe Ebene geraten lässt, ist fast ebenso paradox wie die parallelen Geraden, die sich in der Unendlichkeit berühren. Die Redewendung »Aufs Geratewohl« wird von vielen Menschen missverstanden. Manche vermuten, es habe wohl etwas mit »gerade« zu tun und heiße daher »aufs Geradewohl«. Trotz Rechtschreibprüfung und

automatischer Korrekturvorschläge finden sich Tausende Treffer für »aufs Geradewohl« im Internet. Meine Freundin Sibylle gestand mir mal, dass sie als Kind zunächst »aufs Granatewohl« verstanden habe. Als in den siebziger Jahren bei uns in Deutschland fernöstliche Kampfsportarten immer bekannter wurden, wechselte sie eine Zeit lang zu »aufs Karatewohl«.

Meine französische Freundin Suzanne, optisch übrigens eher Granate als Karate, berichtete mir einmal von einem recht verwirrenden Spracherlebnis aus ihrer Anfangszeit in Deutschland. Sie lebte damals noch in Berlin, es war regnerisch und kalt, Suzanne hatte sich erkältet und suchte deshalb einen Arzt auf. Die Assistentin am Empfang bat sie um etwas Geduld: »Setzen Sie sich doch bitte gerade für einen Moment noch ins Wartezimmer!« Und während Suzanne dort saß und wartete, fragte sie sich, warum sie wohl aufgefordert worden war, gerade zu sitzen.

Hatte das etwas mit ihrem Husten zu tun? Oder war das eine Vorbereitung für eine eventuelle Röntgenaufnahme? Mit durchgedrücktem Kreuz saß Suzanne stocksteif eine Dreiviertelstunde lang im Wartezimmer, bis sie endlich aufgerufen wurde. Am nächsten Tag ging es ihren Bronchien besser, dafür hatte sie es am Rücken. Erst sehr viel später begriff sie, dass »gerade« eben auch die Bedeutung von »just« haben kann.

Wäre Suzanne in Stuttgart zum Arzt gegangen, wäre ihr dieses Missverständnis vielleicht erspart geblieben. Dafür hätte sie sich einer anderen Herausforderung stellen müssen. Denn die schwäbische Aufforderung, sich noch einen Moment zu gedulden, lautet: »Sie dürfet g'schwind warte!« Noch so ein sprachliches Paradoxon, ähnlich wie Aufgaben, die einfach schwer zu lösen sind, und Sachen, die ganz schön hässlich sind. Oder Antworten, die richtig falsch sind. Und Dinge, die gerade völlig schieflaufen.

Darauf können Sie zählen!

Jeder Hans platzt vor Stolz, wenn sein Hänschen anfängt zu zählen. Nun ist das Zählen nicht so schwer. Problematischer wird es mit dem Aufzählen. Das lernen manche nie: Hänschen mit seinem, großen Mund nicht und Hans, nimmermehr.

So einfach sie auf den ersten Blick auch zu beherrschen scheint, so tückisch kann sie in Wirklichkeit doch sein: die Aufzählung. Dem Grammatikfreund ist die Aufzählung ungefähr das, was dem Modelleisenbahner das Zusammenstellen eines Zuges. Beide müssen auf Kompatibilität und Kupplungsmöglichkeiten ihrer Waggons achten; denn nicht nur Modellzüge können leicht aus der Spur springen, auch Aufzählungen können entgleisen. Mögliche Ursachen gibt es viele: fehlende Kommas, falsche Kommas, verkehrte Kasus-Endungen, missverständliche Bezüge.
Nehmen wir zunächst mal das Komma: Die einzelnen Glieder einer Aufzählung werden durch Kommas voneinander getrennt, sofern nicht ein Bindewort (»und«, »sowie« oder »oder«) die Lücke füllt. Bei der bloßen Aufzählung von Dingen oder Namen ist dies allgemein kein Problem:

»Auf dem Flohmarkt erstand ich eine Kaffeekanne aus Porzellan, vier dazu passende Tassen, einen Zuckertopf und mehrere Teelöffel.«

Schwieriger wird es da mit den Eigenschaftswörtern. Hier zunächst ein Beispiel für eine richtige Aufzählung:

Nachmieter gesucht für komplett renovierte, großzügig geschnittene, günstig gelegene und sonnendurchflutete Vierzimmerwohnung für 540 Euro warm.

Das hört sich gut an, das liest sich auch flott und macht Lust, sofort zum Telefon zu greifen. Nun aber ein Beispiel für eine scheinbare Aufzählung, die in Wirklichkeit keine ist:

Er deutete auf seine unversehrt gebliebene, linke Gesichtshälfte.

Zwischen »gebliebene« und »linke« gehört kein Komma, denn die Gesichtshälfte ist nicht einerseits unversehrt geblieben und andererseits links. Vielmehr bildet die »linke Gesichtshälfte« eine feste Einheit, die sich durch eine einzige Eigenschaft (unversehrt geblieben) auszeichnet.

Vor das DVD-Vergnügen hat der Hersteller den obligatorischen Hinweis auf die Urheberrechte gesetzt. Und in diesem hat er ein Komma gesetzt, das dort nichts zu suchen hat:

Der Inhalt dieser DVD ist urheberrechtlich geschützt und zum ausschließlichen, privaten Gebrauch bestimmt.

Das würde bedeuten, dass die DVD einerseits zum privaten und andererseits zum ausschließlichen Gebrauch bestimmt ist. Sinnvoller erschiene es mir, wenn der Inhalt der DVD ausschließlich zum privaten Gebrauch bestimmt wäre.

Ebenfalls nicht für jedermann selbstverständlich ist die Erkenntnis, dass Pronomen (»meine«, »ihre«, »alle«) und Artikel (»der«, »die«, »das«, »ein«, »eine«) keine Glieder einer Aufzählung sind. Diese durch Komma abzutrennen, kommt einer völligen Sinnentstellung gleich:

Immer wieder dachte er an ihre, von der Natur so schön geformten Hände.

Apropos schön geformt: Die formschöne Schwester der Aufzählung ist der Einschub. Und wie so oft bei schönen Schwestern, wird die eine leicht mit der anderen verwechselt. Wenn es heißt: »Der Chef, Willi Wichtig und ich«, dann sind drei Personen im Spiel, die hübsch der Reihe nach genannt werden. Wenn vor dem »und« aber ein Komma steht, dann sind es nur noch zwei, denn dann sind der Chef und Willi Wichtig ein und dieselbe Person. Der Name (Willi Wichtig) ist dann nicht Teil einer Aufzählung, sondern ein Einschub, der das Vorangegangene (den Chef) näher definiert. Aber was genau ist ein Einschub? Ein Einschub ist etwas, das man mit »das heißt« oder »genauer gesagt« einleiten könnte. Im folgenden Beispiel haben wir es mit einem Satz zu tun, der durch vier Kommas entstellt wurde, die allesamt überflüssig sind: »Ich möchte mich um die, bei jobpilot.de, ausgeschriebene Stelle, als Java-Spezialist, in Ihrem Team bewerben.« Ob dieser Bewerber, wirklich, eine Chance, hatte? Möglich, dass Java sein Spezialgebiet ist. Zeichensetzung ist es offensichtlich nicht. Die hier durch Kommas abgetrennten Satzteile sind keine Einschübe; wären sie es, so müsste sich die Bewerbung nämlich folgendermaßen lesen lassen: »Ich möchte mich um die, das heißt bei jobpilot.de, ausgeschriebene Stelle, genauer gesagt als Java-Spezialist, in Ihrem Team bewerben.« Und spätestens nach dieser Gegenprobe wird der Unsinn der über den Satz gestreuten Kommas klar. Richtig wäre gewesen: »Ich möchte mich um die bei jobpilot.de ausgeschriebene Stelle als Java-Spezialist in Ihrem Team bewerben.«

Man kann einen Einschub auch durch Gedankenstriche oder Klammern kennzeichnen. Bei einer Aufzählung geht

das nicht. Auf der Internetseite der Wiener Verkehrs-
betriebe findet man folgenden Hinweis: »Kinder (Hunde
und Fahrräder) fahren zum halben Preis.«

Da die Hunde und Fahrräder hier zwischen Klammern
stehen, erkennt sie das Grammatikprogramm in unserem
Kopf als Einschub, als nähere Bestimmung der zuvor er-
wähnten Kinder. Und das führt unweigerlich zu Irritationen. Nun ist unser Hirn zum Glück in der Lage, diesen
Verständnisfehler rasch zu beheben und die Hunde und
Fahrräder als Teile einer Aufzählung zu begreifen. Doch
nicht immer liegt das Gemeinte so offensichtlich auf der
Hand. Stünde dort etwa »Arbeitslose (Schüler und Studenten)«, so müsste man doch einen Moment lang überlegen,
wie das denn nun gemeint ist.

Und nicht zuletzt empfiehlt es sich beim Aufzählen, sich
stets zu vergewissern, dass die aufgereihten Dinge alle im
gleichen Bezug stehen. »Anno 1797 erhielten wir vom
Rath der Stadt die Erlaubnis, Bier zu brauen ...«, hat ein
stolzer Gastwirt der beschaulichen Mainstadt Miltenberg
an seine Wirtschaft geschrieben – und zum Entsetzen aller Durchreisenden hinzugefügt: »... Gäste zu beherber-
gen, bewirten, beköstigen und zu schlachten.« Das ist zum
Fürchten, zum Gruseln – und zum Lachen.

Quatsch mit so Soße

Finden Sie auch, dass ziemlich viel von dem, was irgendwie so gesagt wird, im Grunde eigentlich nicht wirklich gehaltvoll ist? Das liegt manchmal wohl eben einfach auch daran, dass an sich halt gar nicht besonders viel Gehaltvolles gesagt worden ist. Von daher ...

Manchmal ärgere ich mich über mich selbst. Zum Beispiel, wenn ich etwas nicht wiederfinden kann, das ich erst gestern noch in der Hand hatte. Oder wenn ich aus Nachlässigkeit eine Datei gelöscht habe, die ich noch benötige. Oder wenn ich einen kilometerlangen Umweg fahre, nur weil ich es nicht fertigbringe, zur Kreuzung zurückzufahren, an der ich falsch abgebogen bin. Oder wenn ich etwas sage, das ich eigentlich gar nicht meine. Genauer gesagt: Wenn ich etwas sage, das eigentlich überflüssig ist. Denn immer wieder ertappe ich mich dabei, dass ich meine Sätze mit Füllwörtern stopfe, auf die ich genauso gut verzichten könnte. Eines meiner bevorzugten Stopfmittel scheint das Wort »eigentlich« zu sein.

Mein Freund Henry reagiert auf sogenannte Füllsel besonders empfindlich. Überflüssigen Ballast solle man abwerfen, meint er. Dann würde man mit dem, was man zu sagen hat, länger in der Luft bleiben. »Eigentlich hast du Recht«, sagte ich ihm einmal, woraufhin er spöttisch erwiderte: »Und uneigentlich nicht?«

Früher habe ich auch gern mal ein »an und für sich« in meine Rede einfließen lassen. Eine Wendung, die ich schon als kleines Kind von den Erwachsenen aufgeschnappt habe, ohne sie recht zu begreifen. Niemand sprach das »An und für sich« deutlich in vier Worten, meistens wurde es zu ei-

nem »Annfürsich« zusammengezogen. Darunter konnte ich mir als Kind nichts vorstellen und glaubte stattdessen, es hieße »am Pfirsich«. Was genau ein Pfirsich mit der jeweiligen Sache zu tun hatte (und warum es nicht genauso gut eine Ananas oder eine Pampelmuse sein konnte), war mir unklar, aber als Kind akzeptiert man, dass die Welt voller Wunder und Rätsel steckt. Den »An-und-Pfirsich« habe ich mir in jahrelanger, harter Selbstdisziplin wieder abtrainiert, dafür sind andere Füllwörter hinzugekommen: ein »eigentlich« hier, ein »irgendwie« da und auf jeden Fall ein »jedenfalls«.

Als wir uns vorgestern zum Mittagessen trafen, sah mein Freund Henry etwas mitgenommen aus. »Schlaflose Nächte mit schönen Frauen gehabt?«, fragte ich mitleidig. »Leider nicht«, sagte Henry, »meine Nichte ist für ein paar Tage zu Besuch. Die ist 17, und es kommt mir vor, als hätte sie gerade erst sprechen gelernt. Jedenfalls plappert sie ohne Punkt und Komma. Ich habe immer nach dem Aus-Knopf gesucht, aber den hat man bei ihr wohl vergessen.« – »Sie schlägt offenbar nach dir«, stellte ich fest. Henry bleckte die Zähne: »Pass auf, dass ich nicht gleich nach dir schlage!« – »Und, was reden die jungen Leute heutzutage so?«, wollte ich wissen. »›So‹ trifft es schon mal ganz gut«, erwiderte Henry, »›so‹ scheint ihr Lieblingswort zu sein. Das kommt in jedem Satz mindestens dreimal vor.« Als ich um eine Kostprobe bat, räusperte sich Henry und sprach, den Tonfall seiner Nichte imitierend: »Was machen wir so heute so? Der Justin Timberlake, der ist echt süß so. Mathe und Physik, das ist so überhaupt nicht so mein Ding so. Ich steh so eher auf Kunst und so Grafikdesign so.« – »Na bitte, dann wird deine Nichte ja vielleicht mal ›so‹ Grafikdesignerin!«, rief ich begeistert aus. Henry gab sich weniger optimistisch: »Hauptsache, es ist etwas, bei dem sie nicht so viel reden muss! Das hoffe ich ihrer Umwelt zuliebe!«

Henrys »Umwelt« hat es wahrlich nicht immer leicht. Eine seiner verflossenen Freundinnen pflegte ihre Zustimmung mit den Worten auszudrücken: »Wollte ich auch gerade sagen!« Wenn die beiden aus dem Kino kamen und Henry seine Kurzkritik formulierte (»Die Charaktere hatten keine Tiefe, in der Mitte riss der Spannungsbogen ab, das Ende war zu sinister«), dann nickte sie heftig und sagte: »Wollte ich auch gerade sagen.« Auf die Dauer wurde es Henry unheimlich: »Was immer ich sagte – sie wollte gerade genau dasselbe sagen. Selbst als ich ihr sagte, dass ich der Meinung sei, wir passen nicht zusammen, kam wie aus der Pistole geschossen: ›Wollte ich auch gerade sagen.‹« – »Das nennt man wohl eine Trennung in beiderseitigem Einverständnis«, fiel mir dazu ein. Henry nickte und stieß prustend hervor: »Wollte ich auch gerade sagen!«

Die meisten Füllwörter sind so alltäglich und geläufig, dass unser Gehirn sie beim Empfang automatisch aussortiert. »Null Information, folglich keine Reaktion erforderlich!«, lautet die synaptische Analyse. Doch wenn man eine Phrase nicht gleich als solche erkennt, kann sie einen ganz schön verwirren. Unlängst stieg ich in ein Taxi, dessen Fahrer sich als überaus gesprächig erwies. Er wetterte über die Mineralölkonzerne, die Politiker, die Radfahrer und die Polizei. Es hörte sich nach einer einzigen großen Verschwörung gegen das Taxifahrergewerbe an. In regelmäßigen Abständen fügte er ein »Verstehen Sie?« an. Das irritierte mich: Befürchtete er, ich könne seinen Ausführungen nicht folgen? Erwartete er, dass ich mit einem »Ja« erwiderte? Und wenn, würde er dieses Ja als Zustimmung zu seiner Verschwörungstheorie deuten? Die Sache war kompliziert. Bis mir klar wurde, dass es sich lediglich um eine Phrase handelte, eine Sprechpausenverhinderungsmaßnahme, auf die er keine Erwiderung erwartete. Denn ungeachtet meines beharrlichen Schweigens stellte er seine Rede erst ein, als wir am Ziel angelangt waren. Das Irritierende war vermutlich die Form seiner Fragestellung: Ein höfliches, wohlartikuliertes »Verstehen Sie?« – so etwas musste ich einfach ernst nehmen. Hätte er neudeutsch »Weißte?« gefragt, hätte ich gleich gewusst, woran ich bin.

Füllwörter sind aber nicht grundsätzlich zu verteufeln. Immerhin erfüllen sie eine wichtige sprachliche Funktion. Sie verschaffen uns Zeit und verhindern, dass der Redefluss plötzlich abreißt. Nicht jeder beherrscht die Kunst, gleichzeitig zu denken und zu sprechen. Während man über den nächsten Satz nachdenkt, besteht die Gefahr, dass eine Pause eintritt, die vom Gegenüber als Signal missverstanden werden kann, dass er jetzt wieder was sagen dürfe.

Gestern musste ich Henry einen Freundschaftsdienst erweisen und mich um seine Nichte kümmern, da er lauter unverschiebbare Termine hatte. Ich beschloss, mit ihr in eine Ausstellung über modernes Grafikdesign zu gehen. »Und, wie fandest du die Ausstellung?«, fragte ich hinterher. Sie guckte ein bisschen verlegen und druckste: »Also, na ja, ich fand sie so irgendwie so ich weiß nicht so.« Eine erschöpfende Auskunft, dachte ich, dem ist eigentlich nichts hinzuzufügen. Uneigentlich auch nicht.

Als die Flamme verlöschte

»Olympias Fackel verlöscht in Paris«, titelte die »Sächsische Zeitung« im Frühling 2008. Da waren offenbar die Grammatik-kenntnisse des Redakteurs kurzfristig erloschen. Rufen wir die Sprach-Feuerwehr und machen wir ein paar Lösch-Übungen.

Chaotische Szenen spielten sich ab, als das olympische Feuer Anfang April durch Paris getragen wurde. Demonstranten versuchten, den Fackellauf zu unterbrechen und den Läufern die Fackel zu entreißen. Tatsächlich erlosch die Flamme – aber nicht etwa durch die Hand eines Demonstranten. Es waren Sicherheitskräfte, die die Fackel löschten – sogar mehrmals. Dies sei zum Schutz der Fackel geschehen, hieß es in den Nachrichten. Die Flamme wurde jedes Mal in einem Bus neu entzündet. So erfuhr man als olympischer Laie ganz nebenbei, dass die von den Läufern getragene Fackel nur ein Ableger des tatsächlichen olympischen Feuers war, welches seinerseits ganz gemütlich im Bus nach China reiste.

Als tags darauf »Olympias Fackel verlöscht in Paris« in der »Sächsischen Zeitung« stand, entzündete sich an dieser Überschrift sogleich eine Diskussion über den korrekten Gebrauch des Verbs »verlöschen«. »Löschen« und »verlöschen« ähneln einander nur auf den ersten Blick, bei genauerer Betrachtung sind sie grundverschieden. Denn während das transitive »löschen« ein regelmäßiges Verb ist, wird das intransitive »verlöschen« unregelmäßig gebildet.

Die Feuerwehr löscht heute, wie sie auch früher löschte und überhaupt immer schon gelöscht hat. Das von ihr gelöschte Feuer jedoch, das verlöscht nicht, sondern verlischt.

Und in der Vergangenheit verlosch es, um schließlich im Perfekt gänzlich verloschen zu sein. Apropos Vergangenheit: »Wenn die Vergangenheit verlöscht«, überschrieb die »WAZ« einen Hinweis auf eine Veranstaltung zum Thema Demenz und Alzheimer. Die Vergangenheit verlöscht jedoch nicht. Nicht einmal die Erinnerung an sie. Stattdessen verlischt offenbar das Wissen um den feinen Unterschied zwischen dem, der da etwas löscht, und dem, was da am Ende verlischt.

Dass ein Verb auf zwei verschiedene Weisen konjugiert werden kann, ist nichts Außergewöhnliches, dafür gibt es zahlreiche Beispiele. In den meisten Fällen besteht zwischen den unterschiedlichen Formen auch eine unterschiedliche Bedeutung. Von »wiegen« beispielsweise lassen sich die Formen »gewiegt« und »gewogen« bilden, die keinesfalls das Gleiche bedeuten. So haben sich auch von »löschen« zwei verschiedene Formen entwickelt; die eine mit der Bedeutung »ausmachen«, die andere mit der Bedeutung »ausgehen«.

All das ist hinlänglich bekannt. Weniger bekannt dagegen ist, wie die unregelmäßigen »Lösch«-Formen denn nun im Einzelnen aussehen.

Die beiden Studenten am Nebentisch, die sich aufgeregt über das Auslöschen der olympischen Fackel unterhalten, sind sich uneins. »Es muss *verlischt* heißen«, sagt der eine. Der andere ist skeptisch: »Wieso? Gibt es etwa ein Verb, das *verlischen* heißt?« Nein, das gibt es nicht, auch wenn manche von seiner Existenz überzeugt zu sein scheinen, wie man aus einigen Hundert Einträgen im Internet schließen kann, in denen das Wort »verlischen« auftaucht. So erfährt man beispielsweise in einem christlichen Blog: »Schwach ist unser Glaube oft, er flackert im Wind und droht zu verlischen.« Das verbindet den Glauben mit der Grammatik: Auch die ist oft schwach und flackert im Wind.

»Verlöschen« und »erlöschen« werden nach dem gleichen Schema gebildet wie die unregelmäßigen Verben »werfen« und »essen«: Wo bei denen das »e« zum »i« wird (du wirfst, er wirft, du isst, er isst), da wird bei verlöschen das »ö« zum »i«: du verlischst, er verlischt. Also in der zweiten und dritten Person Singular. Im Plural bleibt's beim »ö«. Kerzen, die »erlischen«, erlöschen regelwidrig. Und die Befehlsform? Einer hartnäckig brennenden Kerze, die sich allen Ausblasversuchen trotzig widersetzt, kann man befehlen: »Erlisch endlich!« Das wäre die gehobene Entsprechung für »Verdammtes Ding, nun geh schon endlich aus!«. Doch wenn man einen Menschen bittet, das Licht zu löschen, dann lautet der Imperativ nicht etwa »Lisch das Licht«, sondern »Lösch das Licht«.

Wenn ein Wissenschaftsmagazin warnt, dass die Sonne »verlöscht«, und ein Boulevardblatt den Lesern ausmalt, wie plötzlich auf unserem Planeten alles Licht und Leben »erlöscht«, dann ist Sprachkritik ohnehin nicht angebracht, denn angesichts des drohenden Weltuntergangs ist die Frage, ob hier richtig oder falsch getextet wurde, bedeutungslos. Denn ist die Menschheit erst *ausgeloschen*, gibt es auch keine Grammatik mehr.

Wo holen seliger denn nehmen ist

Waren Sie schon einmal in Trier? Dort gibt es einiges zu entdecken und zu bestaunen, vor allem für jemanden, der sich für son-
derbare sprachliche Phänomene interessiert. Denn die Trierer
holen sich die Freiheit, ein paar Dinge anders auszudrücken.

Für die meisten Deutschen sind »holen« und »nehmen«
zwei Verben mit unterschiedlicher Bedeutung, zwischen
denen es nur selten zu Verwechslungen kommt. In Trier
und Umgebung kommt es sogar noch seltener zu Verwechslungen, weil das Verb »nehmen« in der dortigen
Umgangssprache praktisch nicht existiert. Wo unsereins
»nehmen« sagt, da sagt der Trierer »holen«. Das gilt auch
für Zusammensetzungen. So fragt der Trierer: »Kannst du
mich mitholen?«, wenn er mitgenommen werden will.
Und er überholt nicht nur andere Autos, sondern auch Ver-
antwortung. Und wenn er erfolgreich gefastet hat, kann er
voller Stolz verkünden: »Ich hab zehn Kilo abgeholt!«

Im Trierer Land wird wenig genommen, dafür umso mehr
geholt. Man könnte es auch Hol-land nennen, wenn der
Name nicht schon vergeben wäre. Der folgende Dialog zwischen einem Krankenpfleger und einem Patienten trug sich
in einem Trierer Krankenhaus zu: »Ich habe Ihnen hier Ihre
Tabletten hingelegt, nehmen Sie die zur nächsten Mahlzeit ein!«, sagte der Krankenpfleger. »Is gut, ich hol se dann
gleich!«, erwiderte der Patient. Der Krankenpfleger stutzte
und erklärte, dass der Patient die Tabletten nicht zu holen
brauche; denn er habe sie ihm schließlich schon mitge-
bracht. »Bitte nehmen Sie sie zur nächsten Mahlzeit ein!«,
wiederholte der Krankenpfleger. »Ja, ja, is gut, ich hol se
gleich!«, wiederholte seinerseits der Patient. Nachdem der

111

Krankenpfleger noch ein weiteres Mal darauf hingewiesen hatte, dass sich die Tabletten bereits im Zimmer befänden, und der Patient ein weiteres Mal versichert hatte, dass er sie ganz gewiss gleich holen würde, gab der Krankenpfleger auf und verließ kopfschüttelnd den Raum. Er stammte aus dem Münsterland und hatte keine Ahnung von der semantischen Macht des Wortes »holen« im Lande der Trierer.

Zugegeben: Es ist ganz schön verwirrend. Wenn ein Trierer im Restaurant sagt: »Ich hol das Hühnerfrikassee«, muss der ortsfremde Gast am Nebentisch annehmen, in diesem Restaurant herrsche Selbstbedienung. »Dann kann ich ja auch gleich zu McDonald's gehen«, wird er denken. Und auch dort würde er sich wundern, spätestens wenn er gefragt wird, ob seine Bestellung »zum Mitholen« sei.

Als ich selbst einmal einen Herrn aus Trier nach einem gemeinsamen Restaurantbesuch fragte, ob ich ihn im Taxi mitnehmen könne, antwortete er höflich: »Lassen Sie nur, ich hol den Bus!« Ich stellte mir daraufhin vor, dass er wohl mit einem VW-Transporter gekommen sei.

Das Holen-statt-Nehmen-Phänomen ist eine Besonderheit des Moselfränkischen und daher auch im Saarland verbreitet. Es gibt Saarländer, die Französischunterricht holen, und andere, die sich an guten Taten ein Beispiel holen. Vor manchen muss man sich in Acht holen, besonders vor denen, die den Mund gern etwas zu voll holen. Ansonsten kann man im Saarland eine ganze Menge unterholen, man kann Dinge tun, die man sich seit Langem vorgeholt hat, man kann Beleidigungen aussprechen und wieder zurückholen, einen Gast bei sich aufholen und für den Nachbarn ein Paket anholen. Es scheint wie ein Spiel, bei dem man ein Wort durch ein anderes ersetzen muss.

Als Ortsfremder mag man das sonderbar finden oder einfach nur zum Schmunzeln. Auf jeden Fall aber lädt es dazu ein, sich über die Bedeutung der Wörter »nehmen« und »holen« ein paar Gedanken zu machen. Denn worin besteht eigentlich der genaue Unterschied? Wer sich Milch aus dem Kühlschrank *nimmt*, der steht bereits direkt davor. Wer sich Milch aus dem Kühlschrank *holt*, der muss erst noch zum Kühlschrank gehen. Beim Nehmen, so könnte man vereinfachend festhalten, kommen die Hände zum Einsatz, beim Holen sind außerdem die Füße beteiligt. Allerdings passt diese Definition nicht immer, denn zum Luft*holen* benötigt man weder die Hände noch die Füße. Und wer Abschied *nimmt*, der lässt sogar los, statt festzuhalten.

Die Trierer und die Saarländer sind übrigens nicht die Einzigen, bei denen das Verb »holen« eine erweiterte Bedeutung hat. Viele Deutsche gebrauchen das Wort »holen« anstelle von »kaufen« und sagen Sätze wie »Letzte Woche hab ich mir auch endlich einen DVD-Rekorder geholt« oder »Mein Fernseher ist im Arsch! Ich muss mir dringend einen neuen holen!«. Für mich klingt das immer ein wenig suspekt – ich finde, es hört sich irgendwie nach Ladendiebstahl an.

Geben ist seliger denn nehmen, heißt es in der Bibel. Ob die Trierer Theologie wohl die Meinung vertritt, geben sei seliger denn holen? Jedenfalls brauchen Psychiater ihre suizidgefährdeten Patienten nur nach Trier oder nach Saarbrücken zu schicken, schon sind sie ihre Sorgen los, denn dort nimmt man sich nicht das Leben. Dort *holt* man es sich höchstens.

Wenn man könnte, wie man wöllte

Der Konjunktiv ist tot? Das söllte man nicht denken! Mancher meint, man könnte auf ihn verzichten, aber wer dürfte dann noch etwas möchten? Nein, der Konjunktiv ist quicklebendig. Und ist seine Form nicht eindeutig, dann biegen wir sie so, wie wir sie bräuchten.

Felix, der elfjährige Sohn meiner Schulfreundin Alexandra, ist ein aufgeweckter und überaus wissbegieriger Junge. Wann immer ich zu Besuch bin, bombardiert er mich mit Fragen. Seiner Mutter ist dies manchmal schon peinlich. So auch diesmal. »Wenn du in der Schule besser aufgepasst hättest, dann bräuchtest du jetzt nicht fragen«, sagt sie. Felix grinst und erwidert: »Du meinst, dann *brauchte* ich nicht *zu* fragen.« Seine Mutter schüttelt den Kopf: »Von mir aus ›zu‹ fragen‹, aber es heißt ›du bräuchtest‹, das ist nämlich die Wunschform, du kleiner Naseweis!« Felix lässt sich nicht beirren. »Der Konjunktiv von ›du brauchst‹ lautet ›du brauchtest‹, nicht ›du bräuchtest‹«, sagt er ruhig. »So ein Quatsch«, erwidert seine Mutter, »wer hat dir denn so was beigebracht?« Sie schaut mich hilfesuchend an. Ich zucke die Schultern: »Ich war's nicht! Aber es stimmt, was Felix sagt, er hat dir nichts Falsches erzählt.« – »Oh mein Gott«, stöhnt sie, »habt ihr euch jetzt etwa gegen mich verbündet? Dann sage ich wohl besser nichts mehr ohne meinen Anwalt!«

Doch der Blick ins Grammatikbuch gibt Felix Recht: Der Konjunktiv I von »ich brauche« lautet »ich brauche«, der Konjunktiv II lautet »ich brauchte«. Da die Konjunktiv-II-Formen von »brauchen« aber keinen Unterschied zu den Vergangenheitsformen aufweisen, sind sie leicht zu verwechseln: Der Satz »Ich brauchte deine Hilfe« kann in zwei

Richtungen gedeutet werden: zum einen als Wunschform (Konjunktiv II) im Sinne von »Ich würde deine Hilfe benötigen«, zum anderen aber auch als Beschreibung der Vergangenheit im Sinne von »Ich habe deine Hilfe benötigt«. Aus diesem Grund hat sich neben der offiziellen Form ohne Umlaut (»ich brauchte«) eine inoffizielle Form mit Umlaut eingebürgert: »ich bräuchte«. Denn der Umlaut signalisiert unmissverständlich, dass der Konjunktiv und nicht die Vergangenheitsform gemeint ist.

Auch wenn die umgelautete Form nicht der Standardgrammatik entspricht, so ist sie inzwischen so weit verbreitet, dass sie von den meisten für die einzig richtige gehalten wird – meine Schulfreundin Alexandra inbegriffen. Um ihr zu beweisen, dass »brauchen« im Konjunktiv II eigentlich nicht umgelautet wird, ziehe ich den Vergleich zu den klangähnlichen Verben »rauchen« und »tauchen«. Es heißt schließlich nicht: »Wenn die Tabaksteuer gesenkt würde, räuchten die Menschen wieder mehr.« Und genauso wenig sagt man: »Wenn die Sichtverhältnisse besser wären, täuchte ich noch tiefer.«

Nun werden »tauchen« und »rauchen« nicht so oft in den Konjunktiv gesetzt wie das viel häufiger verwendete »brauchen«, und um eine Verwechslung mit der Vergangenheitsform zu vermeiden, kann man »tauchen« und »rauchen« im Konjunktiv mit »würde« kombinieren, was heute ohnehin gängige Praxis ist: »Wenn die Tabaksteuer gesenkt werden würde, würden die Menschen wieder mehr rauchen« und »Wenn die Sichtverhältnisse besser wären, würde ich noch tiefer tauchen«.

Das Beispiel mit dem Rauchen scheint Alexandra auf den Geschmack gebracht zu haben, denn unwillkürlich greift sie zur Zigarettenschachtel vor sich auf dem Tisch. Felix wirft ihr einen strafenden Blick zu: »Es wäre besser, du räuchtest nicht!«, sagt er schelmisch. Alexandra steckt die Zigarette an und erwidert gelassen: »Ich brauchte es vielleicht nicht zu tun, wenn ihr mir mit eurer Klugscheißerei nicht so an den Nerven zerrtet!«

Das Wort »brauchen« ist übrigens ein sogenanntes Modalverb, und gerade Modalverben werden sehr häufig in den Konjunktiv gesetzt. Ein jeder kennt Formulierungen wie »Das könnte klappen«, »Da müsste ich mal kurz nachschauen«, »Das dürfte kein Problem sein«. Sie sind überall dort zu hören, wo man um Höflichkeit bemüht ist, ganz besonders im Handel und bei Dienstleistungen. Während man sich bei gewöhnlichen Verben zur Bildung des Konjunktivs heute meistens mit der Umschreibung mit »würde« behilft, kommen die Modalverben ohne »würde« aus. So wird überall dort, wo Dienst am Kunden geleistet wird, ganz nebenbei auch noch Dienst am Konjunktiv geleistet.

Was wären wir zum Beispiel ohne die schöne Form »möchten«? Die ist uns so vertraut, dass manch einer sie gar für ein eigenes Verb hält.

Sie: »Ich möchte endlich einmal in Ruhe telefonieren können!«

Er (gereizt): »Du hast überhaupt nichts zu möchten!«

Tatsächlich handelt es sich bei »möchten« um nichts anderes als den Konjunktiv II von »mögen«. Wer sich nicht im Indikativ verabschieden *mag*, der *möge* sich im Konjunktiv II verabschieden und sagen: »Ich *möchte* mich verabschieden.« Im Internet kann man dessen ungeachtet eine Konjugationstabelle aufrufen, in der das Verb »möchten« in allen Zeiten durchgebildet wird: Vom Präsens (wir möchten) über die Vergangenheit (wir möchteten) bis hin zu Plusquamperfekt (wir hatten gemöchtet) und Futur II (wir werden gemöchtet haben). Besonders hübsch wird es, wenn »möchten« dann noch zusätzlich in den Konjunktiv gesetzt wird: »Du habest gemöchtet«. Tja, das hätte wohl so mancher gern gemöchtet, wenn er nur gedürft hätte! Jedenfalls kann man nicht behaupten, dass der Konjunktiv nicht gemocht würde. Oder gemöchtet sei.

Nicht immer aber ist den Modalverben der Konjunktiv so deutlich anzusehen wie bei »müsste«, »könnte« und »dürfte«. Bei »brauchte« ist die Sache schon nicht mehr so eindeutig, bei »sollte« und »wollte« auch nicht. Die Zeile »Ich wollt, ich wär ein Huhn« würde zwar niemand als Wunsch in der Vergangenheit interpretieren (im Sinne von »Ich wäre seinerzeit gern ein Huhn gewesen«), aber auf den ersten Blick ist »wollte« und »sollte« nicht anzusehen, ob es sich um Vergangenheits- oder Wunschformen handelt. Die Formen »söllte« und »wöllte« existieren jedenfalls nicht, daher wird dem konjunktivischen »sollen« oft ein »besser« zur Seite gestellt: »Sie sollten besser nach Hause gehen.« Damit ist klar, dass es sich um eine Empfehlung handelt, und nicht um die Feststellung, dass Sie gestern nach Hause gehen sollten, heute aber gern noch ein bisschen länger dableiben können.
Die Modalverben »wollen« und »sollen« sind noch in einer weiteren Hinsicht interessant. Sie drücken nämlich nicht nur Willen (»Ich will alles, und zwar sofort!«) und Gebot (»Du sollst die Klappe halten!«) aus, sondern auch Mutmaßung und Behauptung: »Er soll schon wieder getrunken haben!«; »Der Angeklagte will die Tat nicht begangen

haben«. In dieser Form sind »wollen« und »sollen« häufig in den Nachrichten anzutreffen. Doch dabei kann es gelegentlich zu Missverständnissen kommen. Die Überschrift »Sri Lankas Soldaten sollen Kinder entführen«, wie sie im Schweizer »Tages-Anzeiger« zu lesen war, kann misslicherweise als Aufforderung gedeutet werden. Als hätten die Sri Lanker nicht schon Sorgen genug, mischen sich jetzt auch noch westliche Tageszeitungen ein und rufen die Soldaten zur Kindesentführung auf! Ist die Welt noch zu retten? Man söllte es nicht glauben!

Immer wieder einmal gerne

»Dann bekomme ich einmal 2,40 Euro!«, sagt die Kassiererin, und ich frage mich: Warum sagt sie »einmal«? Denkt sie, ich wollte ihr das Geld womöglich zweimal geben? Ein paar Gedanken über ganz alltägliche Seltsamkeiten im Verkäuferdeutsch.

Über zwei Wörter stolpere ich in letzter Zeit immer wieder: Das eine lautet »einmal« und das andere »gerne«. Das sind zwei ganz gewöhnliche, unspektakuläre Adverbien, die jeder kennt und gernhat und daher nicht nur einmal, sondern womöglich mehrmals täglich gebraucht. Im Dienstleistungsbereich lässt sich der Gebrauch allerdings nicht mehr quantifizieren. »Einmal« ist dort zu einer festen Größe geworden, die zum Verkaufen gehört wie das Kassieren und Verpacken.

»Dann bekomme ich bitte einmal 2,40 Euro von Ihnen!«, sagt die Verkäuferin in der Bäckerei, als sie mir die Tüte mit den Brötchen reicht. Warum tut sie das? Warum sagt sie »einmal«? Denkt sie, ich wollte ihr das Geld womöglich *zweimal* geben? »Einmal die Fahrscheine bitte«, brummt der Schaffner im Zug. Streng genommen genügte es, wenn einer der Fahrgäste dem Schaffner zwei Fahrscheine zeigte, denn dann hätte der Schaffner genau einmal mehr als einen Fahrschein zu sehen bekommen, und nichts anderes hat er schließlich verlangt.

Ich gebe zu, dass ich gelegentlich den Überblick verliere. Aber noch merke ich, wenn man mir einen Betrag zweimal in Rechnung stellen will. Wenn die Servierkraft im Café zu mir sagt: »Das wären dann einmal 2,40 Euro für den Milchkaffee und dann noch einmal 3,80 für den Mandelkuchen«, dann frage ich mich, warum es wohl »noch einmal« 3,80 Euro sind? Ich bin mir absolut sicher, dass ich davor nichts konsumiert habe, was schon einmal 3,80 Euro gekostet hätte. Es sei denn, die Servierkraft erinnert sich noch an meinen letzten Besuch, aber der liegt bereits einige Wochen zurück. Ihrer Logik zufolge müsste ich insgesamt 10 Euro zahlen: 3,80 plus 2,40 plus »noch einmal« 3,80. Ich bin einigermaßen erleichtert, als es dann doch nur 6,20 Euro sind.

Einmal ist keinmal, wie jeder weiß, darum könnte man das »einmal« getrost weglassen. Für Dienstleister allerdings scheint der Verzicht auf »einmal« undenkbar. Sie lieben dieses Wort nun einmal. Besonders drollig wird's, wenn »einmal« noch verdoppelt wird: »Wollen Sie einmal mal probieren?« oder »Da müsste ich einmal kurz mal im Lager nachschauen«. Als ich an der Kinokasse drei Karten für meine Neffen und mich löse, schiebt mir der Verkäufer die Billets mit den Worten zu: »Einmal dreimal.« In der Schule lernen wir das Einmaleins; angehende Verkäufer lernen später offenbar noch das Einmalmal hinzu. Ich will damit nicht sagen, dass das Wort »einmal« im Verkäuferjargon unangemessen wäre. Der verschwenderische Gebrauch ist es schon.

Auch Henry ist er aufgefallen. Als wir unsere Rechnung im »Meyers« begleichen wollten und der Kellner zusammenfasste: »Da hätten wir einmal einen Cappuccino und einmal einen doppelten Espresso, das wären dann bei Ihnen einmal 1,90 Euro, und bei dem anderen Herrn einmal 2,60 Euro«, da raunte Henry mir zu: »Wenn man alle ›einmal‹ zusammenzählt, kommt man sogar auf viermal!«

Nicht weniger bemerkenswert als das Einmaleins der Servicekräfte ist die inflationäre Ausbreitung des Wörtchens »gerne« – wahlweise auch »gern« oder »sehr gerne« bis hin zu »aber gerne«. Man findet es heute überall dort, wo es früher noch »bitte« oder »nichts zu danken« hieß. Wenn ich mich im Bäckerladen für die Brötchen bedanke, dann erwidert die Verkäuferin neuerdings: »Gerne!« Und selbst der Schaffner führt dieses Wort bereits: Mein automatisch gemurmeltes »Danke« nach dem Abstempeln meiner Karte kontert er mit einem »Gerne!«. So gerne wie heute wurde in diesem Land noch nie gedient; vermutlich ist dies die Folge eines neuen Service-Denkens.

Früher hieß es noch »Der Kunde ist König«, da war der Verkäufer ein Diener, der die Wünsche des Königs erfüllte, höflich und akkurat, ohne persönliche Regung zu zeigen. Heute ist der Kunde nicht mehr König, sondern zahlender Gast im Ferienclub, und der Verkäufer ist der Animateur, der so tun muss, als sei ihm jede Dienstleistung, jede noch so alltägliche Routine ein persönliches Vergnügen. Denn die Parole lautet: Service ist Spaß! Fast scheint es, als würden sich alle Verkäufer morgens den Mund mit »Gern«-Seife putzen. Im allzu gernen Gebrauch von »gerne« liegt jedoch auch eine Gefahr; denn immer häufiger kommt den Menschen das »gerne« über die Lippen, wenn eher etwas wie »in Ordnung« oder »ganz wie Sie wünschen« gemeint ist. Einige Dialoge auf Gernseifenbasis erinnern daher an absurdes Theater:

Verkäufer: »Kann ich Ihnen helfen?«
Kunde: »Nein danke, ich finde mich schon zurecht.«
Verkäufer: »Sehr gerne!«

oder:

Verkäufer: »Einen schönen Tag noch!«
Kunde: »Danke, ebenfalls!«
Verkäufer: »Gern!«

Ist das logisch? Ohne »einmal« und »gerne« käme unsere Sprache nicht aus, man könnte nicht einmal mehr ein Märchen erzählen. Ich stelle mir aber gerade vor, wie es sich wohl anhört, wenn die Verkäuferin aus der Bäckerei ihren Kindern eine Gutenachtgeschichte erzählt: »Da hätten wir dann einmal eine wunderschöne Prinzessin, und dazu noch einmal einen edlen Prinzen, das macht dann einmal zusammen ein Traumpaar. So, und jetzt wird bitte einmal geschlafen!« – »Gute Nacht, Mami!« – »Sehr gerne!«

Weil er mich sitzen hat lassen

Dass Ihnen das Perfekt Probleme macht, habe ich natürlich kommen gesehen. Schließlich hab ich's mir denken gekonnt. Aber Sie haben es ja unbedingt perfektionieren gemusst. Bleibt die Frage: Hätten Sie das nicht lieber gebliebenen gelassen gesollt?

Wie viele andere Kinder auch war Felix am Ende des letzten Harry-Potter-Bandes sehr traurig, dass die Abenteuer des berühmten Zauberschülers nun vorbei waren. Ich versuchte ihn zu trösten: »Soweit ich weiß, arbeitet die Autorin bereits an etwas Neuem!« – »Echt?«, rief Felix, und seine Augen leuchteten vor Begeisterung, »woher weißt du das?« – »Ach«, erwiderte ich achselzuckend, »das habe ich vom Hörensagen.« – »Was ist das, *vom Hörensagen*?«, fragte Felix. »Das ist so eine Redensart«, erklärte ich. »Es heißt *vom Hörensagen*, weil man es irgendjemanden irgendwann einmal hat hören sagen.« Diese Aussage verlangte allerdings nach einer Korrektur, und so setzte ich nach: »Ich meine natürlich *sagen hören*.« Felix dachte nach. »Hörensagen kommt vom Sagenhören? Sagen sind doch aber ausgedachte Geschichten, so wie Märchen. Dann ist das, was man vom Hörensagen kennt, also gar nicht wahr, sondern nur ausgedacht!« – »Nein«, widersprach ich, »Hörensagen bedeutet, dass man gehört hat, wie jemand etwas gesagt hat. Es ist eine Information, die man irgendwo aufgeschnappt hat. Es kann sich dabei nur um ein Gerücht handeln, es kann aber durchaus die Wahrheit sein.« Ich musste einsehen, dass meine Erklärung keinesfalls perfekt gewesen war, aber irgendwie ist das mit dem Perfekt auch gar nicht so einfach.
Normalerweise wird das Perfekt immer mit einer Form von *haben* oder *sein* plus dem Perfektpartizip gebildet: *Ich höre dich* wird im Perfekt zu *Ich habe dich gehört; Du weißt*

es wird zu *Du hast es gewusst; Er will es nicht* wird zu *Er hat es nicht gewollt*; und *Wir gehen nach Hause* wird zu *Wir sind nach Hause gegangen.*

Hängt vom Verb aber eine Infinitivkonstruktion ab, wenn es also nicht bloß *Ich höre dich* heißt, sondern *Ich höre dich atmen*, dann tritt im Perfekt anstelle des Partizips (gehört) eine zweite Grundform auf, ein sogenannter Ersatzinfinitiv: *Ich habe dich atmen hören.*

Man kann sich leicht ausmalen, wie es einst dazu gekommen ist: Wenn man hinter einem Verb, das im Infinitiv steht, noch ein zweites Verb sprechen soll, so ist die Zunge schnell versucht, dem zweiten die gleiche Endung wie dem ersten zu verpassen. Ein doppelter Infinitiv wie in »kommen sehen«, »sagen hören« und »wissen wollen« spricht sich leichter als die holprigeren Wendungen »kommen gesehen«, »sagen gehört« und »wissen gewollt«. Und weil einem das Perfekt auf diese Art nicht nur leichter über die Lippen geht, sondern sich auch eleganter anhört, wurde die Not irgendwann zur Tugend und die Regelverletzung zur Regel erklärt. Und diese tritt bei den folgenden Verben in Kraft: müssen, können, dürfen, lassen, wollen, sollen, mögen, brauchen, sehen und hören.

Das Auftreten eines doppelten Infinitivs ist also zulässig; und mehr noch: Der Ersatzinfinitiv ist dem Perfektpartizip sogar vorzuziehen. Auch wenn manche ihn für falsch halten. Der eine oder andere meiner Leser meldete bereits seine Zweifel an: »Kann man wirklich sagen: ›Ich habe ihn über die Straße gehen sehen‹? Für mich hört sich das falsch an! Meiner Meinung nach muss es ›gesehen‹ heißen!«

Dass der doppelte Infinitiv keineswegs falsch ist, wird besonders im Zusammenhang mit *können, dürfen* und *müssen* deutlich. Denn würden dieselben Leser sich auch für ›Ich hätte stutzig werden gemusst‹ starkmachen? Spätestens da hätte doch jeder stutzig werden müssen!

Bei »sehen« und »hören« sind indes beide Formen möglich. Und auch mit »lassen« nehmen wir es ganz gelassen und lassen uns beide Paar Schuhe passen. Den Beispielsatz »Die Partei hat den Kandidaten fallen lassen« gibt es auch in der Variante »Die Partei hat den Kandidaten fallen gelassen«. Beides gilt als korrekt. Verkehrt wäre hier lediglich Zusammenschreibung; denn die alten Schreibweisen *fallenlassen* oder *fallengelassen* wurden von der Rechtschreibkommission und vom Duden fallen gelassen.

Gelegentlich kommt es vor, dass nicht nur zwei, sondern sogar drei Verben aufeinander folgen. Dann stehen alle drei im Infinitiv: *Ich hatte meine Chancen schon flöten gehen sehen. Du hättest dich nicht so gehen lassen dürfen. Wir haben uns den Weg zeigen lassen müssen.*

Anders wiederum verhält es sich im Passiv. Da ist der Ersatzinfinitiv fehl am Platz. Wenn die Partei den Kandidaten aktiv hat fallen lassen (oder wahlweise fallen gelassen hat), dann wurde er passiv von der Partei fallen gelassen – und nicht etwa fallen lassen.

Ob der Kandidat sich das hat gefallen lassen, steht auf einem anderen Blatt.

Kürzlich landete ich beim Herumdrücken auf meiner Fernbedienung in dem Fernsehfilm »Männer sind zum Abgewöhnen«. Ich fing gerade an, mich in die Geschichte einzufühlen, da hörte ich die weibliche Hauptfigur, eine alleinerziehende Mutter, zu ihrer Tochter sagen: »Dein Vater hat ein schlechtes Gewissen, weil er mich damals hochschwanger sitzen hat lassen.« Das ließ mich aufhorchen. Dass Nebensätze, die mit »weil« eingeleitet werden, uns zunehmend Schwierigkeiten bereiten, war mir ja nichts Neues.[*]

---

[*] Siehe hierzu: »Weil das ist ein Nebensatz« in »Der Dativ ist dem Genitiv sein Tod, Folge 2«, S. 157 ff.

Hier geht es aber nicht um die übliche Satzverdrehung, sondern um die Stellung des »hat«: »Weil er mich sitzen gelassen hat« oder »weil er mich hat sitzen lassen« – beide Formen sind möglich und geläufig. »Weil er mich sitzen hat lassen« wirkt hingegen sonderbar. Mein erster Gedanke war, dass der Drehbuchautor beim Schreiben vielleicht einen sitzen hatte. Dann fiel mir ein Satz ein, den ich im Niederländisch-Unterricht gelernt hatte. Ich habe ihn mir damals eingeprägt, weil ich ihn besonders drollig fand. Er lautete: »Ik heb de zon in de zee zien zakken.« Wortwörtlich übersetzt heißt das: »Ich habe die Sonne ins Meer sehen sinken.« Zwei Dinge habe ich damals begriffen:

1. Die Niederländer machen es genauso wie wir, auch sie lassen im Perfekt zwei Infinitivformen aufeinander folgen.

2. Sie tun es aber in umgekehrter Reihenfolge. Denn »ins Meer sehen sinken« klingt für deutsche Ohren ungewohnt. Wir würden die Infinitive anders anordnen: »Ich habe die Sonne ins Meer sinken sehen.«

Einen weiteren bemerkenswerten Fall entdeckte ich unlängst in einem Bericht über Kurt Cobain und Courtney Love: »Sie soll ihn aus Habgier haben umbringen lassen«, wurde darin behauptet – eine nicht zuletzt in syntaktischer Hinsicht überaus gewagte Formulierung. Im ersten Moment erschien sie mir falsch. Doch ich konnte nicht sagen, wie es anders hätte lauten müssen: Sie soll ihn umbringen haben lassen? Sie soll ihn umbringen lassen haben? Oder gar: Sie soll ihn umgebracht haben lassen? Nein, das würde ja bedeuten, sie ließ ihn so umgebracht, wie sie ihn bereits vorfand. Je länger ich über dieses »haben umbringen lassen« nachdachte, desto mehr begann ich an meiner Intuition zu zweifeln. Verdammte Courtney, nun

hatte sie auch noch mein Sprachgefühl auf dem Gewissen!
Nach eingehender Recherche stellte sich die kühne Behauptung als richtig heraus – nicht in Bezug auf Kurt Cobains Tod, sondern in Bezug auf die Reihenfolge der Infinitive. Die Regel schreibt vor, dass das Hilfsverb »haben«
vorangestellt wird, wenn es sich bei der zweiten Infinitivform (hier: lassen) um einen von »haben« abhängigen Ersatzinfinitiv handelt.

Dies werden Sie jetzt erst einmal sacken lassen müssen.
Dass die Sache mit dem doppelten Infinitiv keine leichte
Kost ist, hätte ich Ihnen natürlich gleich sagen können.
Aber dann hätten Sie dieses Kapitel womöglich gar nicht
lesen mögen. Das erinnert mich übrigens an die alte Spinat-
Taktik: Alle wollten, dass man's schluckt, und keiner sagte
einem vorher, dass es nicht schmeckt. Und dann diese wissenschaftlich nicht zu beweisende Behauptung, von Spi-

127

nat würde man groß und stark! Auch Felix hat längst seine Zweifel daran, wie ich unlängst feststellen konnte. Ich wollte ihn zu einer Pizza mit Käse und Spinat überreden und führte, weil mir nichts Besseres einfiel, das alte »Spinat macht stark«-Argument an. »Wie stark denn?«, fragte Felix kritisch. »Na, so stark wie Herkules!«, erwiderte ich. »Echt? Und woher weißt du das?« Ich zwinkerte ihm zu und sagte: »Das weiß ich vom Sagenhören!«

Siezt du noch, oder duzt du schon?

Der Mensch ist ein soziales Wesen, das heißt, er kommt ohne Ansprache nicht aus. Doch damit beginnen die Schwierigkeiten: Wann sagt man »du« und wann »Sie«? Die Wahl des richtigen Anredepronomens ist manchmal eine äußerst heikle Sache.

Das Älterwerden bringt manche Probleme mit sich. Man stellt fest, dass man beim Laufen schneller außer Atem gerät als noch mit Anfang zwanzig, der Körper braucht länger, um sich von Alkoholexzessen zu erholen, man behält am Strand lieber mal das T-Shirt an und fühlt sich auf Massenveranstaltungen zunehmend unwohl. Und noch etwas ändert sich: der Umgang mit Gleichaltrigen. War es mit zwanzig noch ganz selbstverständlich, jemanden, der ungefähr im gleichen Alter war, mit »du« anzusprechen, so will die Wahl des korrekten Anredepronomens ab dreißig gut überlegt sein.

Natürlich ist es auch immer eine Frage des gesellschaftlichen Zusammenhangs. Mein 22-jähriger Neffe, der seit Kurzem studiert, duzt natürlich alle Kommilitonen, auch die älteren, so wie es zu meiner Studentenzeit auch schon war. Aber den gleichaltrigen Angestellten in der Bank siezt er – wegen des förmlicheren Umfelds, wie er sagt. Nach meiner Grundausbildung bei der Luftwaffe war ich derart eingeschüchtert, dass ich sogar einen Obergefreiten gesiezt habe, obwohl der gerade mal ein halbes Jahr älter war als ich, nur weil er einen Streifen mehr auf der Schulter hatte. Der klärte mich darüber auf, dass frühestens ab Unteroffiziersrang gesiezt würde, und nach ein paar Wochen im Schichtdienst und einigen feuchtfröhlichen Feiern siezte ich nicht einmal mehr den Hauptfeldwebel.

Ich kann mich noch gut daran erinnern, wie aufregend es war, als wir in der 10. Klasse plötzlich von den Lehrern gesiezt wurden. Vor den Sommerferien hatte es noch »Bastian, hör auf zu schwatzen!« geheißen, und nach den Sommerferien dann: »Bastian, bitte mäßigen Sie sich!« Welch eine Aufwertung! Bei einer solchen Anrede fiel es mir nicht schwer, mich zu mäßigen. Wenigstens für die nächsten zehn Minuten.

In früheren Jahrzehnten war das Siezen auch unter jüngeren Menschen gleichen Alters üblich. Das kann man noch heute in Spielfilmen aus den fünfziger und sechziger Jahren sehen, in denen sich die jungen Hauptdarsteller zunächst ganz förmlich mit »Sie« anreden – bis es zum ersten Kuss kommt. Danach geht es nahtlos in »du« über.

Infolge des gesellschaftlichen Wandels nach 1968 ist das Siezen in vielen Bereichen stark zurückgegangen. Heute duzt man sich auch schon *vor* dem ersten Kuss. Auch unter Arbeitskollegen findet man heute schneller zum Du als noch vor dreißig oder vierzig Jahren. In einigen Einzelhandelsunternehmen wird allerdings erwartet, dass die Kollegen einander beim Nachnamen rufen, und so kommt es gelegentlich zu kuriosen Situationen, wenn nämlich die Verkäuferin an der Kasse ihre Kollegin um Hilfe bittet und einmal quer durch den Laden ruft: »Frau Maier, kannst du mal kommen, ich brauch ein Storno!«

Bei Ikea wird man fast ständig und überall geduzt. Das hat aber nichts mit lockeren Manieren oder einem neuen Kumpeldenken zu tun, sondern ist Teil der Imagekampagne. Weil Ikea ja aus Schweden kommt und die Schweden sich untereinander alle duzen, wird auch der deutsche Kunde geduzt – um ihm ein Gefühl von »tipis sverige Snörrigkeit«

zu vermitteln. Den Werbespruch »Wohnst du noch, oder lebst du schon?« kann man noch als forsch-frische Provokation stehen lassen, die vor allem an eine jüngere Zielgruppe gerichtet ist. Doch Kunden ab Mitte vierzig stutzen, wenn ihnen in ihrer örtlichen Ikea-Filiale über Lautsprecher die neuesten Angebote entgegengeduzt werden: »Hej, jetzt kannst du dein Badezimmer komplett neu einrichten und dabei noch sparen!« oder »In unserem Restaurant warten heute wieder viele leckere Spezialitäten auf dich!«

Wenn du sie nicht gewohnt bist, kann dir diese Duzerei schnell etwas penetrant vorkommen. Denn bei Ikea wird selbst dort die Du-Ansprache praktiziert, wo im herkömmlichen Hinweis-Deutsch auf eine direkte Ansprache verzichtet würde. »Gib hier deinen Leihkatalog ab!«, liest man zum Beispiel auf einem Schild. Wir Deutschen sind so etwas nicht gewohnt, wir kennen es einfacher und kürzer: »Hier Katalogrückgabe«.

Richtig lustig wird es, wenn zwischen den Bandansagen plötzlich ein Zwischenruf des deutschen Personals ertönt. Dann ist es mit der Duz-Herrlichkeit nämlich schlagartig vorbei: »Gesucht wird der Halter des Fahrzeugs mit dem Kennzeichen DU DA 496. Bitte melden Sie sich umgehend an der Information!« Hier wird die »brand language«, die Markensprache, nicht eingehalten. Aus gutem Grund. Hieße es »du« statt »Sie«, könnte man denken, es würde nach einem Kind gesucht, das aus Småland ausgebrochen ist.

Den Kunden freut's, wenn's was im Dutzend billiger gibt, aber nicht jeder billigt das Duzen. Das gilt auch für manche Mitarbeiter. Ein Angestellter des Bekleidungshändlers Hennes & Mauritz hat sogar gegen die von oben verordnete

Duzerei geklagt. Doch das Gericht konnte keine Verletzung der Menschenwürde feststellen, verwies stattdessen auf die »Üblichkeit im Betrieb« und entschied zugunsten des Beklagten. Da wird manch einer in der Firmenleitung von H&M aufgeatmet und gedacht haben: »Herr Richter, ich danke dir!«

Berauscht vom Wir-Gefühl der Fußballweltmeisterschaft stellte die »Bild«-Zeitung ihren Lesern im Sommer die Frage: »Wollen wir uns alle duzen?« Als Befürworter der wahllosen Rudelduzerei wurde unter anderem Dieter Bohlen genannt. Der hatte sich sein persönliches Grundrecht, einen Polizisten zu duzen, immerhin gerichtlich verbriefen lassen. Als weiterer Kronzeuge in Sachen »Du, du, du!« wurde der Pressesprecher von Ikea zitiert: »Bei uns wird nur der König gesiezt!« Was eigentlich zur Folge haben müsste, dass bei Ikea Deutschland das »Du« wieder abgeschafft wird, denn in Deutschland ist schließlich jeder Kunde ein König. Aber das wissen die bei Ikea vielleicht nicht.

Kinder im Vorschulalter duzen alles und jeden, die Kindergärtnerin genauso wie den Nachbarn und die Eltern der Spielfreunde. Irgendwann machen sie die verwirrende Entdeckung, dass sich die Welt der Erwachsenen in Dus und Sies teilt. Die Umstellung auf das »Sie« erfolgt aber nicht von einem Tag auf den anderen, schließlich muss man sich erst daran gewöhnen. So wurde unsere Grundschullehrerin im ersten Jahr von vielen noch geduzt, während andere Schüler sich bereits aufs Siezen eingestellt hatten.

Vor der Wasserrutsche in der Alsterschwimmhalle herrscht immer starker Andrang. Als ich nach geduldigem Warten endlich an der Reihe bin, kommt ein ungefähr sechsjähriger Junge wie aus dem Nichts angeschossen, noch triefend von der letzten Rutschpartie, und fragt mich atemlos: »Kann ich vor dir?« Ich lächle ihn an und nicke. Er nimmt Anlauf und hüpft hinein ins Vergnügen. So einfach kann das Leben manchmal sein.

Ich hab noch einen Koffer in Berlin zu stehen

Berliner gibt es nicht nur mit Puderzucker oder Guss, sondern auch mit Schnauze. Der Berliner gilt als eigenwillig – und nirgendwo spiegelt sich das anschaulicher wider als wie in seiner Sprache.

Der Berliner Taxifahrer ist seit je eine Spezies für sich, nicht immer von überschwänglicher Freundlichkeit, aber nie um Worte verlegen, wenn es gilt, den Fahrgast mit einem Potpourri aus Schimpftiraden über die Regierung und philosophischen Erkenntnissen über die Wechselfälle des Lebens zu unterhalten. Die Aufklärung ist im Fahrpreis inbegriffen. Widerspruch ist zwecklos.

Im vergangenen Jahr gastierte ich mit meinem Bühnenprogramm über die Fallstricke der deutschen Sprache mehrmals in der Hauptstadt. An einem Abend war ich spät dran, und so sprang ich in ein Taxi und erklärte dem Fahrer, dass ich so schnell wie möglich ins Schiller-Theater müsse. »Wohin wollense?«, fragte er mich. »Bitte fahren Sie mich ins Schiller-Theater!«, wiederholte ich. Da wandte er sich zu mir um und sagte: »Det jeht nich, juter Mann. Ick kann Ihnen höchstens *nachm* Schiller-Theater fahren. *Ins* Theater müssen Se denn schon selba lof'n.« Au weia, dachte ich, der Abend fängt ja gut an!

Nicht immer nimmt es der Berliner mit den Präpositionen so genau wie dieser Taxifahrer. Und mit den Fällen schon gar nicht. Ob Dativ oder Akkusativ, da ist man sich nicht immer ganz sicher, und um sich nicht ständig zwischen »mir« und »mich« entscheiden zu müssen, sagt der Berliner einfach »ma«, das kann nämlich beides bedeuten. »Ick

lach ma 'n Ast!«; »Da hab ick ma wohl jeirrt.« Dieses »ma«
wird daher gelegentlich auch als »Akkudativ« bezeichnet,
also dritter und vierter Fall in einem.

Der Berliner ist nun mal praktisch veranlagt. Und darüber hinaus ist er alles andere als kleinlich. Klotzen statt kle-
ckern, lautet die Devise. Das gilt besonders für den Umgang
mit den Zeiten. Wo die Standardsprache sich mit Perfekt
oder einfacher Vergangenheit begnügen würde, da prasst
der Berliner mit dem Plusquamperfekt. Statt »Ich war gestern wieder bis zwölf in der Kneipe« oder »Ich bin gestern
wieder bis zwölf in der Kneipe gewesen« sagt der Berliner:

»Ick war jestern wieda bis zwölve inner Kneipe jewesen.«
Eine typische Konstruktion einer Berliner Redaktions-
kollegin lautete: »Also, das hatte ich jetzt gerade nicht verstanden.« Ich war jedes Mal dankbar, dass sie nicht noch ein
»gehabt« nachsetzte.

Für Nicht-Berliner immer wieder irritierend ist die Art und
Weise, in welcher der Berliner zum Ausdruck bringt, dass
sich irgendetwas irgendwo befindet. Er sagt nämlich nicht:
»In meinem Keller steht noch ein altes Fahrrad«, sondern
»Ich habe im Keller noch ein altes Fahrrad zu stehen«. Ja-
wohl, der Berliner hat Dinge zu stehen – oder zu liegen. Der
hochdeutsche Satz »Irgendwo muss hier doch noch mein
Schlüssel liegen« heißt auf Berlinisch: »Ick hatte hier doch
noch 'n Schlüssel zu liejen jehabt!«
Der Autohändler hat hinten im Hof einen nagelneuen
BMW zu stehen, und der Zahnarzt hat im Wartezimmer il-
lustre Magazine zu liegen.
Geschäftsleute und Sachbearbeiter aus anderen Teilen der
Republik sind regelmäßig verunsichert, wenn ihnen ein
Berliner Kollege erklärt, er habe die Unterlagen »vorzu-
liegen«. Das klingt fast wie ein Imperativ: »Die Akte habe
ich meinem Chef morgen früh vorzulegen, sonst fliege ich
raus!« Gemeint ist aber nichts anderes, als dass der Kollege
die Papiere vor sich auf dem Tisch liegen hat.

Nach dieser Logik scheint Marlene Dietrichs berühmte Lie-
beserklärung an Berlin ein bisschen zu kurz geraten zu sein.
»Ich hab noch einen Koffer in Berlin«, sang sie 1948. Als
waschechte Berlinerin hätte sie eigentlich singen müssen:
»Ich hab noch einen Koffer in Berlin zu stehen.«

Scherzhaft wird diese Konstruktion auch die »Berlini-
sche Verlaufsform« genannt, obwohl dabei nicht viel ver-

läuft; es sei denn, man stößt aus Versehen einen alten Eimer mit Farbe um, den man noch irgendwo zu stehen hatte. Ansonsten wird eher gestanden und gelegen, gelegentlich auch gehangen: »Mein Opa hatte in seiner Stube ein Bild vom Kaiser zu hängen.« Dieses ausgefallene sprachliche Prinzip kommt allerdings nur bei Gegenständen zur Anwendung. Personen sind im Stehen oder im Liegen nicht mit »zu« zu haben. »Da hinten steht mein Mann« wird nicht etwa zu »Ich hab da hinten meinen Mann zu stehen«, das wäre nämlich nicht nur umständlicher, sondern auch noch missverständlich. Man kann zwar auch in Berlin gepflegt einen sitzen haben, aber man hat niemanden zu sitzen, und man hat auch niemanden zu liegen. Folglich muss kein Mann befürchten, jemals von seiner Frau die folgenden Worte zu hören: »Schatz, du kannst da jetzt nicht rein, ich hab da noch den Klempner zu liegen.«

Das wäre nämlich selbst für einen Berliner ein ziemlicher Klops. Aber mit Klöpsen kennt er sich schließlich aus, der Berliner. Von Buletten ganz zu schweigen. Die isst der Berliner gern mit Senf, weil er nun mal gerne überall seinen Senf dazugibt. Berliner essen auch Hamburger, nur keine Berliner. Denn zum Berliner sagt der Berliner komischerweise Pfannkuchen. Das finde ich als Hamburger etwas seltsam. Aber soll ma egal sein, mich isses eins.

Manche mögen's apfelig

Immer wieder geraten Wörter in den Umlauf, die es eigentlich nicht geben dürfte: Adjektive wie möhrig oder rosinig. Die kennen Sie nicht? Dann ist ja alles in Ordnung! Dann brauchen Sie dieses Kapitel auch gar nicht zu lesen, sonst kommen Sie am Ende noch auf gänsige Gedanken.

Zu seinem 12. Geburtstag schenke ich Felix einen MP3-Player. »Wow, das ist genial! Echt granatig!«, freut er sich. Seine Mutter Alexandra wirft mir einen Blick zu, der mich fragt: »Gibt es das Wort *granatig*?« Ich lächle zurück: »Es steht bestimmt nicht im Wörterbuch, aber ich lass es durchgehen! Geburtstägige Sondergenehmigung!«

Man kennt das Adjektiv »bombig«, warum sollte es dann nicht auch »granatig« geben können? Zumal Bomben und Granaten oft in einem Atemzug genannt werden. (So leidet meine Freundin Sibylle noch heute darunter, dass sie beim Abi »mit Bomben und Granaten durchgefallen« ist.) Theoretisch lässt sich zu jedem Hauptwort ein Eigenschaftswort bilden. Machen wir mal die Probe aufs Exempel: Wenn sich vom Hauptwort »Riese« das Adjektiv »riesig« ableiten lässt, müsste sich von »Zwerg« auch »zwergig« ableiten lassen. Und tatsächlich: »zwergig« steht im Duden, zwischen Zwerghuhn und Zwergin. Ich habe es allerdings noch nie gebraucht. Da kann man mal sehen: Angesichts der Fülle an Möglichkeiten ist mein aktiver Wortschatz geradezu zwergig.

Von einigen Hauptwörtern lassen sich sogar mehrere Eigenschaftswörter ableiten: Aus »Kind« wird »kindlich« und »kindisch«, aus »Holz« wird »holzig« und »hölzern«. Von anderen wiederum lässt sich nicht mal ein einziges bilden.

»Baum« zum Beispiel – im Wörterbuch findet man weder »baumig« noch »bäumisch« oder »baumen«. Dabei gäbe es Bedarf! »He, du, sei nicht so bäumisch!«, könnte man einem Mitarbeiter in der Firma oder einem Spieler auf dem Fußballplatz zurufen, der einfach nur in der Gegend herumsteht und sich nicht von der Stelle rührt. Immerhin unterstellt man solchen Menschen ja, sie würden Wurzeln schlagen, und das geht semantisch doch schon ein gutes Stück in Richtung Baum.

Für manche Menschen aber sind apfelig, möhrig und rosinig ganz selbstverständliche Wiewörter. Für meinen Freund Philipp zum Beispiel. Der sagt Sätze wie »Das Müsli ist mir zu rosinig« oder »Die Suppe schmeckt ganz schön möhrig«. Beim ersten Mal habe ich noch protestiert: »*Möhrig* hört sich aber seltsam an, für mich klingt das zu sehr wie moorig, und das ist keine besonders schmackhafte Assoziation!« Philipp zuckte nur die Schultern. »Dann sag von mir aus karottig«, erwiderte er mit einem Grinsen.

Man kann darüber schmunzeln oder verwundert den Kopf schütteln. Auf jeden Fall sind Wortbildungen wie apfelig und karottig originell. Das Wunderbare an unserer Sprache ist ja, dass sie so elastisch ist und viel mehr Möglichkeiten zulässt, als unser willkürliches und nicht immer besonders logisches Regelwerk erlauben will.

Philipp geht nicht gern in katholische Kirchen, weil die ihm »zu kerzig und madonnig« sind. Die Wortschöpfung »madonnig« gefiel mir besonders, da wurden bei mir sofort Erinnerungen an madonnige Discozeiten der 80er-Jahre wach.

Seltsamerweise gibt es nur wenige Tiere, von denen Eigenschaftswörter abgeleitet werden – obwohl sich der Mensch doch ständig mit Tieren vergleicht. Es gibt »affig« und »bärig«, aber »entig« oder »gänsig« sind mir bislang noch nicht untergekommen – auch »löwig« oder »pferdig« scheint es nicht zu geben. Dabei reden manche Menschen wirklich gänsig, und so mancher zeigt dabei noch ein pferdiges Grinsen.

Philipp ist bei Weitem nicht der Einzige, der diese Art von kreativem Sprachgebrauch pflegt. Meine Innenarchitektin beherrscht die Kunst der Wiewortschöpfung mindestens genauso virtuos. Zum Beispiel versprach sie mir, meine Küche so einzurichten, dass sie »nicht so küchig« wirke. Und als ich beim Blättern im Katalog für Büromöbel das eine oder andere Modell verwarf, weil es mir zu sachlich oder zu technisch erschien, sagte sie: »Verstehe, das ist Ihnen zu büroig!« Natürlich hätte sie sagen können »Das sieht zu sehr nach Büro aus« oder »Das wirkt zu büromäßig«, doch sie entschied sich für »büroig«. Das ist erstens kürzer und zweitens emotionaler, und schon deshalb passt es zu meiner Innenarchitektin, denn die fühlt die Räume, bevor sie sie füllt. Vermutlich hat sie sich ganz bewusst für »büroig« entschieden, weil es ihr gerade auf das Wiewortige in der Formulierung ankam; weil die Beschaffenheit des Raumes dadurch hörbarer wurde. Wie auch immer, meine Innenarchitektin hat mich überzeugt: Die Wohnküche gefällt mir in ihrem unküchigen Stil, und ebenso mein Arbeitszimmer, das alles andere als büroig wirkt. Im Bücherregal neben dem Duden steht nun ein Kästchen, in dem ich kuriose wiewortige Formulierungen sammle.

Erst letzte Woche kam wieder eine hinzu. Da saß ich mit einer Kollegin im Café und sprach mit ihr über einen neuen Mitarbeiter, der auf mich sehr förmlich wirkt, weil er jeden Tag im Anzug zur Arbeit erscheint. »Der sieht aber nicht immer so geschäftsleutig aus«, verriet sie mir, »abends und am Wochenende läuft er ganz freizeitig rum.«

Gestern kamen Philipp und seine Freundin Maren zu mir, um sich meine neue Wohnung anzusehen. »Überhaupt nicht büroig«, bestätigte Philipp, als er das Arbeitszimmer sah. »Dafür aber erfrischend apfelig«, ergänzte er mit Blick auf meinen neuen Computer. Da meine Küche zu unküchig geraten war, um als Küche zu dienen, lud ich die beiden zum Essen ins Restaurant ein. »Der Laden ist inzwischen ganz schön szenig geworden«, bemerkte Philipp, »vor einem Jahr noch war das hier eher geheimtippig.«
Beim Bestellen zeigte sich, dass Maren sich von Philipps Wiewortbilderei längst hatte anstecken lassen. Denn auf die Frage, worauf sie Appetit habe, erwiderte sie: »Ich nehme irgendwas Gemüsiges – mit einem unsprudeligen Wasser dazu!«

Kommt ein Flieger geflogen

Wer etwas kauft, ist ein Käufer. Und wer siegt, der ist ein Sieger. Wer lügt, ist ein Lügner, und wer fliegt – ist der ein Flieger? Jeder Mensch träumt, aber nicht jeder ist gleich ein Träumer. Fast jeder Mensch denkt, aber die wenigsten sind Denker.

In einem Café in Buenos Aires verabschiedet sich ein junger Mann aus Deutschland von seiner argentinischen Verwandtschaft. »Mein Flieger geht um 17 Uhr«, sagt er, woraufhin seine Tante missbilligend erwidert: »Flieger? Du meinst Flugzeug!« Der junge Mann zuckt nur mit den Schultern und lacht: »Von mir aus auch das, Tante Paula. Flieger oder Flugzeug, das ist doch dasselbe!« Da ist Tante Paula aber anderer Meinung: »Ein Flieger ist ein Mensch, der ein Flugzeug fliegt«, erklärt sie mit Bestimmtheit, »also ein Pilot. So wie ein Fahrer jemand ist, der ein Fahrzeug fährt, und nicht das Fahrzeug selbst. Ein BMW ist kein Fahrer, und eine Boeing ist kein Flieger.« – »Vielleicht war das früher mal so«, sagt der Neffe, »aber manche Wörter ändern ihre Bedeutung. Bei uns in Deutschland wird das Wort Flieger heute auch im Sinne von Flugzeug gebraucht.« Tante Paula stößt einen Seufzer aus: »Armes Deutschland!«

Ganz so schlimm steht es zum Glück nicht um unsere Kultur. Dass Wörter im Laufe der Zeit ihre Bedeutung ändern oder eine zweite Bedeutung hinzugewinnen können, ist nichts Ungewöhnliches. Die Begründung, mit der Tante Paula die Verwendung des Wortes »Flieger« im Sinne von »Flugzeug« abqualifiziert, ist ohnehin recht löchrig. Denn durch Anhängen der Endung »-er« lassen sich aus Verbstämmen nicht allein Menschen erzeugen, sondern auch praktische Dinge wie Einrichtungsgegenstände oder Maschinen. Zweifellos ist ein Leser jemand, der liest, und ein Zuhörer jemand, der zuhört – aber ein Rechner ist nicht etwa ein Mensch, der rechnet, sondern die Maschine, die dem Menschen das Rechnen (und zunehmend auch das Nachdenken) abnimmt.

Ein Läufer kann sowohl jemand sein, der läuft, als auch etwas, auf dem gelaufen wird. Läufer ist nämlich auch eine Bezeichnung für einen längeren, schmalen Teppich. Diese Bezeichnung ist vielen Jüngeren nicht mehr geläufig, da der Teppichläufer ein wenig aus der Mode gelaufen – will sagen: geraten ist.

Oft bezeichnet die Ableitung auf »-er« auch jemanden, der in gewisser Weise qualifiziert ist: Ein Denker ist nicht einfach nur jemand, der denkt. Wer einmal irrt, ist auch nicht gleich ein Irrer. Nicht jeder, der sprechen kann, ist ein Sprecher. Es ist zum Glück auch nicht jeder, der etwas trinkt, gleich ein Trinker. Und wer sich auf einen Stuhl setzt, ist

noch lange kein Setzer. Zwar ist ein Turmspringer jemand, der von einem Turm springt, doch deswegen ist ein Türklopfer noch lange kein Mensch, der an eine Tür klopft. Sonst wäre ein Salzstreuer womöglich ein Angestellter im Restaurant, der Ihnen Salz aufs Essen streut. Und ein Gabelstapler eine Aushilfskraft, die Gabeln stapelt. Ein Sattelschlepper wäre jemand, der den Reitern ihre Sättel bringt, und ein Zitronenfalter ein Arbeiter, der Südfrüchte zusammenlegt. Und wäre Büstenhalter ein Ausbildungsberuf, dann gäbe es bei männlichen Schulabgängern keine Perspektivlosigkeit mehr.

Während meines Militärdienstes bei der Luftwaffe wurde ich zum »Fernschreiber« ausgebildet. Ich weiß noch, wie wir jungen Rekruten uns darüber amüsierten. Denn ein Fernschreiber war für uns eine Maschine und kein Mensch. Doch man belehrte uns, dass die Maschinen »Fernschreibgeräte« seien und wir die Fernschreiber – sofern wir die Prüfung bestünden. Andernfalls würden wir nur Kabelträger. Auch über diesen sprachlichen Zweifelsfall ist die Geschichte hinweggegangen: Die Fernschreibgeräte von damals stehen längst im Technikmuseum. Und auch die menschlichen Fernschreiber sind mittlerweile ausgemustert worden.

Ein weiteres Beispiel für den Bedeutungswandel ist der Drucker. Bis in die achtziger Jahre verstand man darunter ausschließlich einen Menschen, der in einer Druckerei arbeitet und eine Druckmaschine bedient. Heute denkt man bei dem Wort »Drucker« als Erstes an ein Gerät, das im günstigen Fall Papier bedruckt und uns ansonsten ständig auffordert, sündhaft teure Tintenpatronen nachzukaufen. Das berühmte Beispiel für den sinnvollen Einsatz eines Bindestrichs zur Unterscheidung zwischen Drucker-Zeugnis und Druck-Erzeugnis droht ebenfalls ins Museum abgeschoben zu werden.

Im Süden Brasiliens lebt eine kleine deutschsprachige Gemeinde, die noch heute einen Dialekt pflegt, wie er zum Zeitpunkt der Auswanderung im 19. Jahrhundert gesprochen wurde. Dieses sogenannte Hunsrück-Deutsch ist für andere Deutschsprechende kaum zu verstehen. Fern der Heimat, waren die Hunsrück-Deutschen von der Entwicklung der deutschen Sprache abgeschnitten. So ging die Einführung des Wortes »Matratze« komplett an ihnen vorbei. Noch heute sagen sie »Strohsack«. Und auch »Flugzeug« ist für sie ein abgehobener Modernismus, mit dem sie nicht viel anfangen können. Sie sagen stattdessen »Luftschiff«. Sollte Tante Paula jemals nach Brasilien reisen und dort auf eine Gruppe von Hunsrück-Deutschen stoßen, würde man sie womöglich verständnislos belächeln, wenn sie etwas von einem »Flugzeug« erzählte. »Das ist doch ein Luftschiff!«, würde man ihr sagen, woraufhin Tante Paula energisch erwiderte: »Aber nein, glauben Sie mir, in Deutschland sagt man schon lange Flugzeug dazu!« Und die Hunsrück-Deutschen würden die Köpfe schütteln und murmeln: »Armes Deutschland!«

Ich bin die gelbe Markise

Jeder Tierfreund ist darüber entsetzt, dass Haustiere vom Gesetzgeber wie Sachgegenstände behandelt werden. Dabei haben die meisten Menschen im sprachlichen Alltag keine Bedenken, sich selbst zu einem Gegenstand zu machen.

»Wo hast du geparkt?«, fragt mich Henry, als wir mit unseren Einkäufen den Supermarkt verlassen. Ich deute auf die andere Straßenseite und sage: »Ich stehe gleich dahinten, vor dem weißen Lieferwagen!« Henry wirft mir einen kritischen Blick zu: »Im Augenblick stehst du neben mir, mein Lieber, vor dem Eingang des Supermarktes.« Ich verdrehe die Augen: »Also schön: Mein Wagen steht dahinten, Monsieur Erbsenzähler!« Henry lacht und sagt: »Du scheinst dein Auto wirklich zu lieben, wenn du dich derart mit ihm identifizierst.« Während wir die Straße überqueren, erwidere ich: »Es ist ein völlig normaler Prozess der Umgangssprache, Dinge zu verkürzen. Statt ›Ich habe dort hinten geparkt‹ sagt man eben ›Ich stehe dort hinten‹. Jeder versteht schließlich, was damit gemeint ist.« – »Das stelle ich keinesfalls infrage«, sagt Henry, »ich finde es nur drollig, das ist alles.«

Henry hat Recht: Sprachökonomie ist nicht nur nützlich, sondern birgt mitunter auch eine unfreiwillige Komik, die sich in dem Moment offenbart, in dem man das Gesprochene wörtlich nimmt.

Immer wieder geschieht es, dass Menschen sich aus freien Stücken und ohne Rücksicht auf Ansehen und Würde zu Objekten degradieren. Männer werden zu Autos, Frauen zu Möbeln und Bekleidungsstücken, so wie ich es erst kürzlich wieder in der Oper erlebte. Da stand eine ältere Dame vor mir an der Garderobe und wartete auf die Ausgabe ihres

Mantels. »Suchen Sie nicht so weit hinten«, rief sie der Garderobiere zu, »ich hänge gleich hier vorn – neben dem Rucksack!«

In diesem Zusammenhang fällt mir die junge Frau aus Saarbrücken ein, die ich während eines Spanienurlaubs am Hotelstrand kennenlernte. Auf die Frage, in welchem Stock sie wohne, antwortete sie: »Im fünften! Man kann's von hier aus sehen.« Dazu deutete sie mit dem Finger nach oben und rief: »Ich bin die gelbe Markise!« Wer in Adelskreisen verkehrt, der mag die eine oder andere Marquise aus Frankreich kennen, ich kenne immerhin eine Markise aus Saarbrücken.

Mit der gleichen Selbstverständlichkeit, mit der wir uns selbst zur Sache erklären, setzen wir auch andere Menschen mit Objekten gleich. Im Gedränge auf einem Bahnsteig am Hamburger Bahnhof hörte ich jemanden den Schaffner fragen: »Sind Sie der Zug nach Lübeck?« Der Schaffner, der diese Frage offenbar schon oft gehört hatte, erwiderte ungerührt: »Ich bin nur der Zugbegleiter. Der Zug steht hinter mir.«

Im vergangenen Jahr habe ich meinen alten Kleiderschrank im Internet versteigert. Den Zuschlag erhielt eine hübsche Studentin aus Lüneburg. Als ich einige Zeit später in ihrer Stadt auftrat, kam sie anschließend an die Bühne und sagte lächelnd: »Hallo, Herr Sick! Erinnern Sie sich noch an mich? Ich bin Ihr Kleiderschrank!«

Dass Menschen sich mit ihrer Arbeit identifizieren, ist nichts Besonderes. Dass sie sich mit ihrer Ware identifizieren, kommt auch immer wieder mal vor. Im Supermarkt zum Beispiel. »Dann hätte ich gern noch ein Stück von dem

Brie dort«, sage ich zur Verkäuferin an der Fleisch- und Käsetheke. »Käse ist meine Kollegin nebenan!«, quäkt sie. Offenbar ist sie selbst nur der Aufschnitt. Soll mir wurst sein.

Die Hindus glauben an Reinkarnation und daran, dass sie in einem früheren Leben einmal eine Fliege oder eine Maus waren. Der Deutsche geht da – zumindest in sprachlicher Hinsicht – noch einen Schritt weiter. Jeder lacht über den »Englisch-für-Anfänger«-Witz, in dem ein Deutscher in einem englischen Restaurant seine Order mit den Worten aufgibt: »Can I become a beefsteak, please?«, worauf der Kellner lakonisch erwidert: »I don't hope so, Sir!«

Dabei ist der Wunsch, ein Beefsteak zu werden, geradezu harmlos im Vergleich zu den verbalen Schweinereien, die in der deutschsprachigen Gastronomie an der Tagesordnung sind. Normalerweise gilt es als Beleidigung, jemanden ein Rindvieh oder eine Sau zu nennen. Nicht so im Restaurant. Wenn es ums Essen geht, haben wir nicht die geringsten Skrupel, jemanden zur Sau oder zum Rindvieh zu erklären – uns selbst inbegriffen. So wie jener Gast im Restaurant, der die Servierkraft mit knappen Worten darüber aufklärt, wer welches Gericht bekommt, indem er unmissverständlich klarstellt: »Meine Frau ist der Rollbraten. Ich bin das Schnitzel!«

Älter ist jünger

Wie steigert man »alt«? Ganz einfach, werden Sie sagen: alt, älter, am ältesten. Aber hat ein älterer Mensch tatsächlich mehr Jahre auf dem Buckel als ein alter Mensch? In Wahrheit ist der ältere der jüngere!

Am letzten Sonntag hat mich Felix im Scrabble geschlagen. Noch vor ein paar Jahren hätte ich ihn mit ein paar Tricks und Tipps gewinnen lassen, doch inzwischen ist er so gut, dass er meine Tricks und Tipps nicht mehr braucht. Und dabei ist er erst zwölf Jahre alt. Felix würde allerdings nicht »erst zwölf« sagen, sondern »schon zwölf«. Es ist immer eine Frage des Standpunkts. Erst hatte ich das Wort »bitte« zu »bitter« verlängert, was mir immerhin zehn Punkte einbrachte. In der nächsten Runde hängte ich noch ein »er« an; dieser Coup brachte mir zusätzliche 13 Punkte ein. Felix bewies, wie schnell Kinder von Erwachsenen lernen, und verlängerte das Wort um ein weiteres »er«. »Moment mal«, protestierte ich, »was steht da jetzt? Bitt-er-er-er? Das Wort gibt es doch gar nicht!« – »Und ob!«, rief Felix, »und es wird ein noch bittererer Schlag für dich, wenn du erst die Punktzahl hörst! Ich komme nämlich auf dreifachen Wortwert!« – »Oh nein«, stöhnte ich, »14 Punkte, multipliziert mit drei, dafür brauchen wir ja einen Taschenrechner!«
Beim Scrabble-Spiel sind Wortverlängerungen selbstverständlich erlaubt, solange sie sich grammatikalisch begründen lassen. Allerdings sieht nicht alles, was erlaubt ist, immer gut aus, und längst nicht alles, was wir uns so zurechtlegen, lässt sich gut sprechen. Ein dreifaches »er« ist zwar möglich, klingt aber seltsam. Wenn mir so etwas unterkommt, frage ich mich immer, was andere wohl von unserer Sprache denken müssen.

Wenn einem heiteren Abend ein weiterer, noch *heitererer* Abend folgt, darf man sich jedenfalls nicht wundern, wenn man beim Referieren über so viel Heiteres eine trockene Kehle bekommt.

Adjektive zeichnen sich unter anderem dadurch aus, dass sie sich steigern lassen: groß, größer, am größten. Der Grundform, dem Positiv, folgt der Komparativ und schließlich der Superlativ. Aber nicht immer bedeutet die zweite Stufe eine tatsächliche Steigerung. Wer längere Haare trägt, muss nicht unbedingt langes Haar haben. Länger ist manchmal kürzer als lang. Der Komparativ ist eher ein Relativ. Das zeigt sich besonders beim Alter.

Ein älterer Mann ist noch nicht so alt wie ein alter Mann, auch wenn »älter« die Steigerung von »alt« ist. Darin offenbart sich ein weiteres Paradoxon unserer Sprache.

Laut Wörterbuch bedeutet »älter« in diesem Fall »noch nicht alt, aber auch nicht mehr jung«, also irgendetwas zwischen – tja, und da stellt sich die Frage: Wo endet jung, wo beginnt alt? Wie soll man mit Vergleichsformen umgehen, wenn die Bezugspunkte so vage sind? Für Felix bin ich womöglich bereits ein »älterer Mann«, weil ich »schon über 40« bin. Für andere bin ich »erst Anfang 40«. Mit etwas Glück falle ich noch in die Kategorie »jüngerer Mann«, das ist laut Wörterbuch jemand, »der nicht mehr jung, aber auch noch nicht alt ist«. Hoppla, ist das nicht die gleiche Definition wie die des älteren Mannes? Jünger, älter – wo liegt die Grenze, wann geht der jüngere Mensch in den älteren Menschen über? Oder kommt noch etwas dazwischen? Wenn man nicht mehr jünger, aber auch noch nicht älter ist? Darüber gibt mein Wörterbuch leider keine Auskunft. Das stellt hingegen fest, dass der Komparativ, das »mehr als«, sich längst nicht immer auf die Grundform des betreffenden Wortes beziehen muss, sondern sich sehr häufig auch auf die Grundform seines Gegenteils beziehen kann:

»älter« ist demnach die Steigerung zu »jung«, »länger« die
Steigerung zu »kurz«, »größer« die Steigerung zu »klein«.

Während meines Studiums gab ich einmal einer reizen-
den Chinesin etwas Nachhilfe in Deutsch, und ich erinnere mich noch daran, wie ich bei dem Versuch, ihr dieses komplexe Thema zu vermitteln, fast verzweifelt wäre.
»Eine ältere Frau ist jünger als eine alte Frau?«, fragte sie
erstaunt. »Ja, so ist es«, erwiderte ich. Meine Nachhilfeschülerin schüttelte den Kopf: »Meine Großmutter ist 78
Jahre alt, und ihre große Schwester ist 82. Ich dachte immer, dass ihre große Schwester die Ältere ist. Aber du sagst,
dass meine Großmutter die Ältere ist, weil sie jünger ist?«
Ich weiß nicht mehr, wie ich mich aus dieser Nummer ge-
rettet habe, aber so richtig überzeugen konnte ich sie wohl
nicht. »Vielleicht sollten wir beim nächsten Mal eine leichtere Übung machen«, schlug ich daher vor. »Ist eine leich-

tere Übung schwerer als eine leichte Übung?«, fragte sie skeptisch. »Das kommt drauf an«, sagte ich, »auf jeden Fall ist sie leichter als eine schwere.«

Ein paar Wochen später sagte sie mir, einer ihrer Lehrer habe behauptet, dass eine Übung weder leicht noch schwer sein könne, sondern allenfalls einfach oder schwierig. »Wenn man es genau nimmt, hat er Recht«, brummte ich, »aber wenn man es genauer betrachtet, geht beides.« – »Ich verstehe«, sagte meine Nachhilfeschülerin, »genauer ist mehr als ungenau, aber weniger als genau!« – »Nicht grundsätzlich«, erwiderte ich, »aber in diesem Fall stimmt es … genau!«

Schweizgebadet

Wissen Sie, was ein Verschrieb ist? Haben Sie schon mal vom Gurtentrageobligatorium gehört? Oder ein echtes Chrüsimüsi erlebt? Dann kennen Sie sich in der Schweiz offenbar gut aus! Für die meisten Deutschen ist die Schweiz immer noch ein Abenteuer. Nicht zuletzt wegen der Sprache. Denn die steckt voller drolliger Begriffe.

»Ist das wahr«, fragt mein Freund Henry mich, »du fährst jetzt mit deiner Schau auch noch in die Schweiz?« – »Ja«, erwidere ich stolz, »nach Basel, Bern und Zürich! Darauf freue ich mich schon wie verrückt!« – »Und was wirst du da machen? Das Gleiche wie hier, oder passt du das Programm den Schweizer Gepflogenheiten an?« – »Also, wir haben die Eintrittspreise drastisch erhöht«, sage ich, »aber sonst ist das Programm das gleiche wie in Deutschland.« Henry ist skeptisch: »Ich kann mir nicht vorstellen«, sagt er, »dass man sich dort für unsere sprachlichen Probleme interessiert. Die Schweizer haben schließlich ganz andere Sorgen. Die sprechen doch gar nicht unsere Sprache!« Das ist eine von Henrys typischen Übertreibungen. »64 Prozent aller Schweizer sind deutschsprachig«, stelle ich klar. »Tatsächlich?«, sagt Henry mit gespieltem Erstaunen, »das sind ja mehr als bei uns in Deutschland! Aber mal im Ernst: Die Schweizer sprechen wirklich eine andere Sprache!« – »Ich weiß«, sage ich, »Schwyzerdütsch – das ist bekannt. Aber in der Schule lernen sie doch Hochdeutsch!« – »Glaub nicht, dass man sie deswegen auch verstehen kann«, warnt Henry und raunt: »Das Hochdeutsch der Schweizer ist gespickt mit Helvetismen!«
Helvetismen – davon habe ich auch schon gehört. So nennt man spezielle Ausdrücke, die nur in der Schweizer Stan-

dardsprache vorkommen. Es kann sich auch um grammatische und orthografische Besonderheiten handeln, wie zum Beispiel die Schreibweise mit Doppel-s anstelle des scharfen S. Wo der Deutsche sich bemüht, in Maßen zu trinken, da trinkt der Schweizer konsequent in Massen.

Das ist aber gewissermassen/-maßen nur ein kosmetischer Unterschied. Die meisten Helvetismen betreffen das Vokabular, und das sind nicht gerade wenig! Die Liste der typisch schweizerischen Ausdrücke ist endlos lang.

Viele stammen aus dem Französischen, so wie das Lavabo, die Papeterie und der Pneu. Wer ein wenig Französisch kann, dem werden diese Wörter keine Schwierigkeiten bereiten. Aber Obacht, im Umgang mit Schweizern kann man sich nicht immer auf seine Schulkenntnisse verlassen. Einige französische Wörter wurden von den Schweizern liebevoll verfremdet. Der Redakteur einer Schweizer Tageszeitung, der sich mit mir vor einigen Wochen zu einem Interview traf, stellte sich mir als Redaktor vor, mit Betonung auf der zweiten Silbe. Wir führten ein sehr interessantes Gespräch, in dem es hauptsächlich ums Essen ging. Ich erfuhr, dass die Schweizer nicht nur sehr gut essen, sondern auch sehr oft, und zwar vom Zmorge (Frühstück) über das Znüni (Zweites Frühstück), das Zmittag (Mittagessen) und das Zvieri (Mahlzeit am Nachmittag) bis zum Znacht (Abendessen). Dass viele Nahrungsmittel in der Schweiz einen anderen Namen haben, darauf war ich gefasst, denn schon innerhalb Deutschlands ist der Speiseplan alles andere als einheitlich. Dass der Pfifferling in der Schweiz ein Eierschwämmli ist und die Walnuss eine Baumnuss – damit kann man sich als Deutscher rasch anfreunden. Wer jedoch in der Schweiz einen italienischen Vorspeisenteller »ohne Peperoni« bestellt, dem kann es passieren, dass er einen Vorspeisenteller mit Peperoni bekommt – dafür ohne Paprika. Das, was der Deutsche unter einer Peperoni versteht, ist für den Schweizer – wie übrigens auch für den Italiener – ein Peperoncini. Das Wort Peperoni verwendet der Schweizer hingegen für das, was bei uns der oder die Paprika ist, also das gelb-rot-grüne Gemüse. Das Wort Paprika kennt der Schweizer auch, doch das wiederum gebraucht er nur für das Paprikagewürz. Die Peperoni ist also keine Peperoni. Und auch die Zucchini ist keine Zucchini, sondern eine Zucchetti. Sehr kompliziert, das alles. Man sollte in der Schweiz besser nicht italienisch essen gehen.

Man sollte in der Schweiz auch nicht Auto fahren. In der Schweiz kann man nämlich nirgendwo parken. Die Schweizer parkieren. Sie halten auch nicht vor Ampeln, sondern vor Rotlichtern. Und sie fahren das Auto nur dann in die Garage, wenn es kaputt ist, denn Garage ist im Schweizerischen eine Autowerkstatt. Wer sich wagemutig in den Zürcher Straßenverkehr stürzt, muss auf alles Mögliche achtgeben: auf Velos, Töffs, Töffli, auf andere PW, auf Camions, Cars und natürlich auf das Tram. Da ist es doch bequemer, einfach im Straßencafé sitzen zu bleiben und den Verkehr an sich vorüberziehen zu lassen. Man sollte sich allerdings vorher vergewissern, dass man genügend Franken in der Tasche hat. Oder im Sack.

Denn wo der Deutsche in die Tasche greift, da langt der Schweizer in den Sack. Das berühmte Schweizer Taschenmesser ist gar kein Taschenmesser, sondern ein Sackmesser. Jedenfalls für den Schweizer. Und Kinder bekommen kein Taschengeld, sondern ein Sackgeld. (Das dürfen unsere Kinder hier nie erfahren, sonst wollen die alle in die Schweiz, wo es Säcke voller Geld gibt!) Wer nun glaubt, das Prinzip verstanden zu haben, und das deutsche Taschentuch mit Sacktuch übersetzt, der fällt voll auf die Nase, denn zum Taschentuch sagt der Schweizer Nastuech.

»Glaub mir, die deutsch-schweizerische Geschichte ist eine Geschichte voller Missverständnisse«, sagt Henry, »ich habe da meine Erfahrungen!« Als Student war er mal einen Sommer lang mit einer Schweizerin zusammen. Sie hieß auch noch Heidi und war sehr hübsch. Henry meinte, ihr korrektes Hochdeutsch beibringen zu müssen, und verbesserte sie in einem fort, weshalb wir ihn schon spöttisch das Fräulein Rottenmeier nannten. Wenn Heidi zum Beispiel sagte, sie habe etwas »am Radio« gehört, dann sah Henry nach, ob sich hinter dem Gerät womöglich eine Maus versteckt hatte. Wenn Henry ihr erklärte, wie es auf Hochdeutsch heiße, zuckte sie nur mit den Schultern: »Na und? Ich bin mich halt gewohnt, es so zu sagen!« Und überhaupt sei er ein ziemlicher Tüpflischisser.
Heidi stellte viele Fragen, mit denen sie Henry regelmäßig verwirrte. Ob er ihre blauen Finken gesehen habe. Dabei hatte sie ihm nie gesagt, dass sie Vögel hat. Ob sie heute schon ein Telefon bekommen habe. Dabei besaß sie längst eins. Ob er was dagegen habe, wenn sie mit ihrem Trainer ins Bett gehe. Na, und ob er was dagegen hatte! Nur wenn sie Henry fragte, ob sie »ihn mal wieder aufstellen« solle, dann sagte er begeistert Ja.

Am Ende des Sommers war es mit der Liebe jedoch vorbei; Heidi gab Henry den Laufpass. Sie meinte, er habe sein Heu nicht auf derselben Bühne mit ihr. »Heu auf der Bühne?«, frage ich nach, »bist du sicher? Mein Auftritt in der Schweiz verspricht dann ja wirklich ein besonderes Erlebnis zu werden!« – »Mach dich auf einiges gefasst!«, sagt Henry, »in der Schweiz ist es sauglatt!« – »Aber doch nicht mehr jetzt im Frühling!«, protestiere ich. Henry winkt ab: »Ich sehe schon, du musst noch viel lernen! Aber früher oder später wird dir der Knopf aufgehen!«

In der Nacht träume ich, ich stehe auf der Bühne zwischen lauter Heuballen, bei jedem Schritt drohe ich auszurutschen, denn es ist überall sauglatt, und am Ende bemerke ich, dass mir die Hose offensteht, denn mir ist der Knopf aufgegangen. Schweizgebadet wache ich auf.

Eine Auswahl spezieller schweizerischer Ausdrücke	
Anken	Butter
Auffahrt	Christi Himmelfahrt
aufstellen	aufmuntern, aufheitern
Badi	Freibad
Baumnuss	Walnuss
Beiz, Beizer	Kneipe, Kneipenwirt
Beseli und Schüüfeli	Handfeger und Kehrblech
Billett	Ticket, Eintrittskarte, Fahrschein
Bodehochzig	Beerdigung
Camion	Lastwagen
Car	Reisebus
Chätschgummi	Kaugummi
Chindsgi	KIndergarten
Chläberli	Klebestreifen
Chrüsimüsi	Durcheinander, Wirrwarr
Chuchi	Küche
Chuchichaschte	Küchenschrank
Coiffeur	Friseur
Duvet	Bettdecke
Eierschwämmli	Pfifferling

Eine Auswahl spezieller schweizerischer Ausdrücke

einnachten	Nacht werden
Einvernahme	Verhör
Finken	Hausschuh
Garage	Garage, auch Autowerkstatt
Glacé	Speiseeis, Eiscreme
grillieren	grillen
Gotte, Götti	Patentante, Patenonkel
Gurtentrageobligatorium	Anschnallpflicht
Karette	Schubkarren
Langensee	Lago Maggiore
Lavabo	Waschbecken
Legi	Studentenausweis
Matura	Abitur
Müesli	Müsli
Müsli	Mäuschen, Mäuslein
Nastuech	Taschentuch
Nati (gesprochen: Nazi)	Nationalmannschaft
Papeterie	Schreibwarenhandlung
parkieren	parken
Peperoncini	Peperoni
Peperoni	Paprika
Pneu	Autoreifen
PW	Pkw
Rotlicht	Ampel
Sackgeld, Sackmesser	Taschengeld, Taschenmesser
sauglatt	lustig
Schmutz, Schmützli	Kuss, Küsschen
Serviertochter	Kellnerin

Eine Auswahl spezieller schweizerischer Ausdrücke

Ständerlampe	Stehlampe
Telefon, ein Telefon bekommen	Anruf, einen Anruf bekommen
Töff	Motorrad
Töffli	Mofa
Trainer	Trainer, auch: Trainingsanzug
Tram	Straßenbahn
Trottoir	Bürgersteig
Tschutimatsch	Fußballspiel
Tüpflischisser	Pedant, Erbsenzähler
Übergwändli	Blaumann, Overall
Velo	Fahrrad
Verschrieb	Schreibfehler
Verträger	Zeitungsausträger
verzeigen	anzeigen
Zmittag	Mittagessen
Zmorge	Frühstück
Znacht	Abendessen, Nachtmahl
Znüni	Zweites Frühstück
Zucchetti	Zucchini
Zvieri	Mahlzeit am Nachmittag

Ungleiche Schwestern

Die Natur steckt voller Launen – die Sprache ebenso. Auch sie kann uns immer wieder überraschen, verblüffen und verwirren. Viele Wörter, die einander auf den ersten Blick gleichen oder zumindest sehr ähnlich klingen, haben oft gänzlich verschiedene Bedeutungen.

Launisch und launig zum Beispiel sind so ein ungleiches Schwesternpaar. »Launig« bedeutet humorvoll, »launisch« hingegen launenhaft, zickig. Ein launischer Mensch kann durchaus einmal in einer launigen Stimmung sein; bisweilen verhält es sich auch genau umgekehrt. Doch wenn ich in einem Vereinsblättchen lese »Der Vorsitzende begrüßte in seiner launischen Rede alle Anwesenden«, dann herrscht plötzlich Zickenalarm, obwohl der Vorsitzende in Wahrheit vermutlich nur ein bisschen gescherzt hat.

Eine weitverbreitete Unsicherheit lässt sich auch beim Gebrauch der Verben »verwehren« und »verwahren« feststellen. »Verwehren« bedeutet verweigern, so kann man beispielsweise jemandem den Zutritt verwehren. Man kann sich auch gegen Vorwürfe wehren oder zur Wehr setzen, aber nicht verwehren. Wenn der »Spiegel« schreibt, »Köhler fühlte sich offenbar bedrängt und verwehrte sich gegen den Vorwurf, er trage zur Politikverdrossenheit bei«, dann ist hier »verwahren« gemeint; denn die Konstruktion »sich gegen etwas verwehren« gibt es nicht. Wer etwas mit aller Entschiedenheit zurückweist, der verwahrt sich dagegen, und er hat sich – im Perfekt – dagegen verwahrt. Ein kleiner Unterschied nur, der obendrein auch nicht besonders einsichtig ist, denn man verwahrt eher Andenken, Dokumente oder Schmuck, gelegentlich auch mal einen Häftling, aber sich selbst?

Wenn es um Gefahren geht, wird sich schnell mal verwogen. Es ist in jedem Falle ratsam, Gefahren abzuwägen, das heißt »prüfend zu bedenken«. Wer es vorzieht, Gefahren *abzuwiegen*, gerät sprachlich aus der Balance. In Internetforen und Weblogs stößt man immer mal wieder auf den gut gemeinten Rat, ein Risiko genau abzuwiegen. Da stelle ich mir vor, wie ein Kunde an der Fleischtheke im Supermarkt sagt: »Ich hätte gern dreihundert Gramm Risiko, aber bitte genau abgewogen!« Nun haben Rinderwahn und Gammelfleischskandale den Fleischverzehr ja auch immer wieder mal zu einem Vabanquespiel werden lassen. Aber Gefahren lassen sich nicht wiegen, auch wenn sie durchaus ins Gewicht fallen können.

Bleiben wir noch einen Moment bei fleischlicher Kost. »Carina und Carsten Neumeier verkosteten die Gäste bei der Premiere des Films *Terra Madre*«, behauptete die »Witzenhäuser Allgemeine« in einem Bericht. Und man kann nur hoffen, dass es sich hierbei um einen allgemeinen Witzenhäuser Witz handelt, denn nähme man die Zeitung wörtlich, dann haben die Neumeiers die Premierengäste »schmeckend geprüft«. Das nämlich bedeutet verkosten. Gemeint war wohl eher »verköstigen«, denn das bedeutet so viel wie bewirten. Über diese Verwechslung dürften sich die Leser des Blattes köstlich amüsiert haben.

Ein weiteres ungleiches Schwesternpaar sind die Verben »verbieten« und »verbitten«. Auch hier kommt es gelegentlich zu Verwechslungen. Im Unterschied zu »sich etwas verbitten« wird das Verb »verbieten« nur selten reflexiv gebraucht, zumal Verbote eher für andere ersonnen werden als für einen selbst. Es gibt jedoch eine Ausnahme, denn Dinge, die völlig ausgeschlossen sind, verbieten sich von selbst. Die Farbkombination rosa-orange zum Beispiel, die verbietet sich von selbst. Das Verb »verbitten« hingegen ist

vollreflexiv, es kann ohne »sich« nicht existieren. Wer »sich etwas verbittet«, der weist etwas energisch zurück. Der Gast verbittet sich die beleidigende Bemerkung des Kellners, die Eltern verbitten sich die Einmischung des Lehrers. Der Bedeutungsunterschied zwischen verbieten und verbitten kann zu Irritationen führen. Ein Leser aus München schickte mir ein Foto, das ein Messingschild zeigt, welches an einer Haustür angebracht ist. Auf dem Schild steht: »Nach Bundesgerichtsurteil verbieten wir uns, das Einwerfen von Stadtteilanzeigern und Werbeschriften jeder Art. Die Hausgemeinschaft«. An diesem Fundstück ist nicht nur das Komma originell, sondern auch die Tatsache, dass die Hausgemeinschaft hier freimütig über ein Verbot informiert, das sie über sich selbst verhängt hat. Man ahnt, welche Streitigkeiten dem vorausgegangen sind: Erst haben sich die Bewohner des Hauses gegenseitig die Briefkästen mit Werbung vollgestopft, dann haben sie einander verklagt, es folgten erbittert geführte Prozesse. Nur ein Machtwort des Bundesgerichtshofs vermochte den Hausfrieden wiederherzustellen.

»Verbitten« wird im Perfekt zu »verbeten«, so zum Beispiel in der umständlichen, aber wohlklingenden Formulierung: »Das möchte ich mir aber verbeten haben!«

Manch einer scheint »verbeten« für die Grundform zu halten. So las man in einem Bericht der »Stuttgarter Zeitung« über eine New Yorker Musikgruppe: »Doch von diesen Ausbrüchen abgesehen, verbeten sich The Strokes die Mätzchen traditioneller Rock-'n'-Roll-Shows.« Man kann sich in der Kirche vielleicht mal verbeten, wenn man beim Vaterunser durcheinandergerät, aber die hier angesprochenen Mätzchen verbittet man sich besser – wenn sie sich nicht von selbst verbieten.

Safran, öffne dich!

Sofa, Matratze, Kaffee und Zucker – ohne das Arabische wäre die deutsche Gemütlichkeit nur halb so gemütlich. Auch im Gewürzregal sähe es ziemlich trostlos aus. Ohne das Arabische hätten wir nicht mal Alkohol! Und keine Null. Und schon gar nicht alle Tassen im Schrank!

Dass mich meine deutschen Zwiebelfisch-Kolumnen einmal um die ganze Welt führen würden, hätte ich noch vor wenigen Jahren nicht mal zu träumen gewagt. Im Juni dieses Jahres bin ich nun auf Einladung einer deutschen Schule zu einer Lesung nach Ägypten geflogen. Den amerikanischen Präsidenten Barack Obama habe ich dabei nur um wenige Tage verpasst. Er hatte sich in Kairo mit einer bewegenden Rede an die arabische Welt gewandt. »Salam alaikum!«, hatte er da gesagt, »Friede sei mit euch!«. Zuvor war er bereits in Riad gewesen, wo er sich für den freundlichen Empfang mit »Schukran« bedankte, dem arabischen Wort für Danke. Obama hatte sich auf diese Reise gut vorbereitet und sogar ein paar Brocken Arabisch gelernt.

Das hätte ich vielleicht auch tun sollen. Wer Fremdsprachen kann, ist immer im Vorteil. Doch beim Arabischen hätte ich garantiert Schiffbruch erlitten. Oder Havarie. Das bedeutet dasselbe, ist aber arabischen Ursprungs: Das arabische Wort *awārīya* bezeichnet beschädigte Ware. Erstaunlich viele Wörter, die seit Jahrhunderten fester Bestandteil unserer Sprache sind, haben ihren Ursprung im Arabischen. Und dabei handelt es sich längst nicht nur um so offensichtlich orientalische Wörter wie Sultan und Harem, Kadi und Koran, Minarett und Moschee und Arabeske und Scheich. Vielen Begriffen sieht – genauer: hört – man ihre arabische Herkunft nicht an.

Nehmen wir nur das Lautenspiel. Das berühmte Saiteninstrument des Mittelalters hieß nicht etwa deshalb so, weil es besondere Laute von sich gegeben hätte oder besonders laut gewesen wäre, sondern weil es aus Holz ist. Die Laute geht auf das arabische Wort für Holz, *al-ūd*, zurück. Lange bevor sich die Minnesänger hierzulande auf der Laute begleiteten, erklang sie bereits am Hofe Harun al-Raschids, des sagenumwobenen Kalifen von Bagdad.

Und nicht nur Dichter und Sänger ließen sich von orientalischen Künsten und Bräuchen inspirieren. Auch die Wissenschaft bediente sich kräftig aus Ali Babas Sprachschatzhöhle. Schon die Alchemie setzt sich aus arabischem Artikel (*al*) und dem ägyptischen Wort für schwarz (*kême* oder *chême*) zusammen. Viele denken bei Alchemie natürlich sofort an Hokuspokus, dabei wurde jener (und wird es zum Teil noch heute) mit allerhöchstem Segen in der Kirche veranstaltet; denn beim »Hokuspokus« handelt es sich um nichts anderes als eine Verballhornung der lateinischen Abendmahlsformel »Hoc est enim corpus meum« (Dies nämlich ist mein Leib).

Die Magier sorgten frühzeitig für eine Gleichstellung der Religionen, indem sie dem christlichen Hokuspokus ein islamisches Simsalabim hinzufügten. Letzteres ist die Verballhornung der arabischen Worte *Bismi llâhi r-rahmani r-rahim*, mit denen jede Koransure beginnt. Übersetzt bedeuten sie: »Im Namen des barmherzigen und gnädigen Gottes!« Diese Formel, in islamischen Ländern auch oft in Begleitung eines Stoßseufzers zu hören – ähnlich unserem Ausruf »Allmächtiger!« –, wurde durch Verkürzung und Verdrehung zum magischen »Simsalabim«.

Mein einstiger Deutschlehrer schenkte mir zur Vorbereitung meiner Reise ein aufschlussreiches Büchlein mit dem Titel »Von Algebra bis Zucker – Arabische Wörter im Deutschen«. Dass das Wort Algebra arabischen Ursprungs ist, fand ich nicht verwunderlich, schließlich gehen unsere Zahlen auf arabische Ziffern zurück. Wie übrigens das Wort Ziffer selbst, auch das ist arabischen Ursprungs. Das arabische Wort *sifr* bedeutet »Null«. Erstaunlicher war für mich hingegen die Tatsache, dass etwas so Alltägliches wie Zucker über das Arabische in unseren Kulturraum gerieselt sein soll. Tatsächlich haben die Araber die Technik der Zuckergewinnung aus Zuckerrohr von den Persern übernommen, die es ihrerseits von den Indern abgeguckt hatten. So gelangte das indische Wort sakkhara über das Arabische, wo es zu *sukkar* wurde, nach Europa, wo es schließlich zu zucchero, sucre, sugar und Zucker verarbeitet wurde.

Weitere Wörter arabischen Ursprungs sind Admiral und Arsenal, Baldachin (abgeleitet vom Namen der Stadt Bagdad, die im frühen Mittelalter bei uns noch Baldach genannt wurde), Elixier, Estragon, Giraffe, Jasmin, Magazin, Matratze (welches ursprünglich »das auf den Boden Geworfene« bedeutete), Safran, Schach (vom persischen Wort »Schah« für »König«) und natürlich Sofa. Immer, wenn etwas besonders bequem und plüschig oder wohlriechend und schmackhaft ist, besteht eine große Chance, dass es aus dem Orient stammt.

Und nicht zu vergessen das Wort Alkohol. Auch das stammt aus dem Arabischen. Ausgerechnet Alkohol, werden Sie denken, der im Islam doch gar nicht erlaubt ist. Ursprünglich aber hatte das Wort eine ganz andere Bedeutung. Es bezeichnete ein Pulver für die Augen, das als Medizin zur Behandlung von Augenkrankheiten und später auch zum Schminken verwendet wurde – ähnlich dem indischen Kajal. Im Laufe der Jahrhunderte wandelte sich die Bedeutung von »feines Pulver« über »feine Essenz« bis hin zum »Feinsten des Weines«, zum Weingeist also, der durch Destillation gewonnenen Essenz aus dem edlen Rebensaft. Erst in dieser veränderten Bedeutung erlangte das Wort Alkohol, das bis dahin nur Alchemisten, Quacksalbern und Ärzten bekannt war, weltweite Berühmtheit.

Ohne Bakschisch kein Haschisch – ohne Geld kein Gras – das ist eine Erkenntnis, die sich seit den 70er-Jahren zunehmend auch in Deutschland durchgesetzt hat. Wie ich besagtem Büchlein entnehmen konnte, ist das dazu passende Wort »kiffen« gleichfalls arabischer Herkunft. Schau an! Und ich dachte immer, das sei Holländisch!

Und noch ein weiteres Genussmittel stammt aus dem Orient, und zwar ein ganz wichtiges, ohne das die Welt schon lange aufgehört hätte, sich zu drehen. Und ohne das keine meiner Kolumnen je fertig geworden wäre: der Kaffee. Die Araber kannten ihn schon lange vor den Türken und nannten ihn *qahwa*. Wenn man Kaffee in einer Tasse serviert, hat man gleich zwei arabische Wunder vor sich; denn auch das Wort Tasse haben wir aus dem Arabischen übernommen.

Ich weiß nicht, ob Barack Obama bei seinem Besuch in Kairo Zeit hatte für eine Tasse guten Kaffees – vielleicht haben seine Leute auch nur kurz bei Starbucks angehalten und ihm einen *Caramel Macchiato* im Pappbecher »to go« besorgt. Die Deutschen in meiner Reisegruppe beschäftigte indessen eine andere Frage viel mehr, und zwar wie man wohl in die Pyramiden hineingelangt. Der Einstieg war für uns nämlich zunächst nicht sichtbar. Ein Fotograf aus Wuppertal hob beschwörend die Hände und rief: »Safran, öffne dich!« Sogleich wurde er von einer Frau aus Franken berichtigt: »Es heißt Sesam, nicht Safran!« – »Tatsächlich?«, gab der Fotograf zurück, »dann versuchen Sie es mit Sesam. Vielleicht haben Sie ja mehr Glück!« Ehe sie etwas erwidern konnte, kam der ägyptische Reiseleiter um die Ecke und winkte uns heran: »Kommen Sie! Hier geht's zum Eingang!« Der Fotograf zuckte nur die Schultern und sagte zur Fränkin: »Na bitte, da sehen Sie's, es funktioniert auch mit Safran!«

Der Ganzkörperdativ

Der Herbst ist da, schon jagen Novemberwinde über das Land, und mit jedem Tag wird es kälter und ungemütlicher. Friert es Sie auch schon? Oder friert es Ihnen? Und wenn ja, wo? An den Händen – oder an die Hände? Der Herbst bringt nicht nur Kälte, sondern auch manches sprachliche Problem mit sich.

Wenn es draußen regnet und stürmt, sitze ich am liebsten im Büro und lese Post. Davon wird mir in der Regel meistens warm ums Herz. Aber nicht immer. Manchmal bekomme ich dabei auch kalte Füße.

So wollte ein Leser aus der Prignitz (das liegt im nordwestlichen Brandenburg) von mir wissen, wie es denn nun richtig heiße: »Mich frieert an die Füße« oder »Mir frieert an die Füße«? Da musste ich erst einmal die Heizung höher stellen und anschließend lange nachdenken. Diese Frage hat es nämlich in sich, und zwar in mehrfacher Hinsicht:

Erstens scheint man in der Prignitz ausdauernder zu frieren als anderswo, denn die Schreibung mit doppeltem *e* lässt auf eine zweisilbige Aussprache schließen. Während man in den meisten Gegenden Deutschlands nur einsilbig friert, wird das Frieren in Brandenburg offenbar zu einer längeren Sache, die man sich so richtig auf der Zunge zergehen lässt. Nach dem Motto: Wenn der Hengst im Stalle wiehert, der Bauer in der Stube friert.

Zweitens ist die Alternative bei der Fußbehandlung bemerkenswert. Die Frage, wo es einen (oder einem) friert, kann eigentlich nur mit »an den Füßen« beantwortet werden. Denn die Antwort auf die Frage »wo« steht immer im Dativ. »An die Füße« ist aber Akkusativ, also vierter Fall, und der folgt auf die Frage »wohin«. Dass es jemanden auch dorthin, »an die Füße« nämlich, frieren kann, habe ich noch nicht gehört, aber das muss nichts heißen, denn ich stehe gerade erst am Anfang meiner Entdeckungsreise in die Welt der regionalsprachlichen Wunder.

Für die meisten Deutschen stellt sich aber nicht die Frage, in welchem Fall ihre Füße stehen, wenn sie frieren, sondern in welchem Fall sie selbst dabei stehen, so als im Ganzen betroffene Menschen.

Und damit kommen wir zum dritten und zweifellos interessantesten Aspekt des Prignitzer Fußfrierens – der Frage nämlich, ob es *mich* oder ob es *mir* an den Füßen friert.

Und hier wird die Sache richtig spannend: Statt der persönlichen Formulierung »Ich friere«, bei der ich im Nominativ stehe, kann ich es auch unpersönlich mit »mich friert« oder »es friert mich« ausdrücken. Dann stehe ich im Akkusativ. (Mancher steht dabei vielleicht auch neben sich.) Wenn nun aber nur ein bestimmter Teil von mir betroffen ist (zum Beispiel meine Nase), so stehe ich – als Besitzer dieser Nase – im Dativ: Mir friert die Nase. Die Sprachwissenschaft nennt dies den »Pertinenzdativ«, vom lateinischen Wort *pertinere*, das »betreffen« bedeutet. Man könnte also auf gut Halbdeutsch von einem Betroffenheitsdativ sprechen. Bei »Oh, mir tun die Augen weh, wenn ich Bayern München seh« ist die Sache ganz ähnlich: Zwar geht es zunächst mal um die Augen, die stehen daher im ersten Fall, aber ich als Betroffener komme auch noch vor, und zwar im Dativ. Es geht schließlich nicht um irgendwelche Augen, sondern um meine. Und die tun nicht irgendjemandem weh, sondern mir. ICH muss beim Hingucken diese furchtbaren Schmerzen erdulden, MIR widerfährt es, ich bin also nicht nur an den Augen betroffen, sondern im Grunde mit allem, mit Haut und Haar, mit dem gesamten Körper. Daher ist dieser Pertinenzdativ eigentlich ein Ganzkörperdativ.

Und der kann überall dort auftreten, wo es kneift und drückt, wo es zwackt und zwickt und wo es gruselt und graust. Statt »*mich* kitzelt es in der Nase« kann es auch »*mir* kitzelt es in der Nase« heißen. Und isst du Zwiebeln und Lauch, dann zwickt's *dich* im Bauch, aber »dir zwickt's« geht auch. Genauso wie neben »mich ekelt davor« auch »mir ekelt davor« möglich ist. Beim Grauen ist der Dativ sogar die gebräuchlichere Form. Zwar wäre es nicht falsch gewesen, wenn Margarete zu Faust gesagt hätte: »Heinrich! Mich graut's vor dir!«, doch Goethe ließ sie lieber im Dativ erschaudern und schuf mit »Heinrich! Mir graut's vor dir!« eines der berühmtesten Zitate mit einem Ganzkörperdativ.

Ganzkörperliche Betroffenheit liegt auch beim Schwanen vor: Mir schwant Übles. Und beim Denken: Mir fällt gerade nichts ein, doch, warte, mir kommt's gleich ...

Das Faszinierende am Frieren ist, dass wir es in (fast) allen Fällen können: im ersten Fall (ich friere), im dritten Fall (mir friert's) und im vierten Fall (mich friert's). Landschaftlich ist darüber hinaus noch die Formulierung »Mich frieren die Füße« anzutreffen. Ja, nicht nur in der Prignitz kann man kalte Füße bekommen. Der Winter naht, das große Frieren steht uns allen erst noch bevor. Und wer nicht an den Füßen frieren will, der muss sich eben rechtzeitig was Warmes an die Füße ziehen.

Das Spannende an unserer Grammatik ist, dass sie so flexibel ist. Wer sich etwas eingehender mit ihr beschäftigt, dem wird nie langweilig, weil ständig neue Formen auftauchen. Wenn man sich nicht sicher ist, welche von zwei Möglichkeiten die richtige ist, findet man unter Garantie noch eine dritte. Haben Sie schon mal von Tim Toupet gehört, dem singenden Frisör? Der hatte vor ein paar Jahren

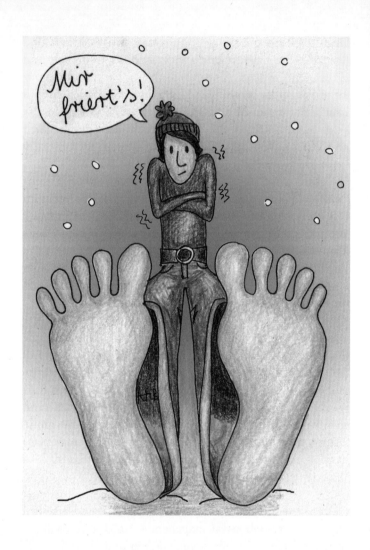

einen Hit mit dem Titel »Du hast die Haare schön!«. Wenn dem mal so richtig die Füße frieren, wird er vermutlich jammern: »Oh Mann, ich hab die Füße kalt!«

Bei zuen Gardinen und ausem Licht

Ein Merkmal von Adverbien ist, dass sie sich nicht beugen lassen. So lehrt es die Lehre. Dem Volksmund ist das herzlich egal.
Für den sind danebene Sätze okaye Lösungen. Was nicht passt,
wird passend gemacht.

Das alljährliche Treffen zum Adventstee bei meiner Freundin Sibylle durfte ich mir natürlich nicht entgehen lassen,
allein schon wegen der Plätzchen nicht: Sibylle kann nämlich meisterlich backen. Während ich also an den Plätzchen knabbere, löchert mich ein junger Mann mit Fragen.
Unter anderem will er wissen, ob ich im Privatleben ein
Ordnungsfanatiker sei. Wer sich so leidenschaftlich mit
der Sprache und ihren Regeln beschäftige, der lebe doch
höchstwahrscheinlich in einer picobello aufgeräumten
Welt, vermutet er. Ich kann nicht bestreiten, dass ich Ordnung sehr schätze und dass ich schnell nervös werde, wenn
Dinge nicht an ihrem gewohnten Platz liegen. Noch ner-
vöser allerdings würden mich offen stehende Schranktüren
machen, verrate ich ihm, das sei ein regelrechter Tick von
mir. Da muss Sibylle lauthals lachen: »Na bitte: Der Herr
Sick hat einen Tick! Als hätten wir's nicht immer schon ge-
ahnt!« Ich werde etwas verlegen und murmele: »Der eine
ist abergläubisch, der andere hat Höhenangst, und ich …
nun ja …« – »Und du erträgst eben keine aufen Türen!«,
vollendet Sibylle den Satz. Womit sie mal wieder genau ins
Schwarze getroffen hat; denn wer sich von offen stehenden
Türen nervös machen lässt, den bringen »aufe« Türen erst
recht aus der Fassung – wenn nicht gar aufe Palme.

Das Wort »auf« hat vor der Tür nichts zu suchen, es kommt
eigentlich nur dann zum Einsatz, wenn der Vorgang des

Öffnens ausgedrückt wird, also bei aufgehen, aufmachen, aufschließen oder aufbrechen. Wenn der geöffnete Zustand ausgedrückt wird, ist »offen« die bessere Wahl: offen stehen, offen sein, offen bleiben. Mit dieser Unterscheidung nimmt es die Umgangssprache allerdings nicht so genau, daher hört man häufig, dass etwas auf sei, wenn es eigentlich offen ist. So können nicht nur Menschen aufstehen, sondern auch Türen; Restaurants und Geschäfte können auf sein (im Münsterland können sie sogar los haben!), und wenn Kinder abends zu lange aufbleiben, kann es sein, dass ihre Augen irgendwann nicht mehr aufbleiben. So weit, so gut. Es gibt aber noch einen anderen Unterschied zwischen »offen« und »auf«: »Offen« ist ein Adjektiv, und Adjektive können einem Hauptwort problemlos vorangestellt werden, weil sie sich beugen lassen und sich dem Hauptwort somit anpassen. Das Wort »auf« ist in diesem Fall aber ein Adverb, und bis auf ganz wenige Ausnahmen taugen Adverbien nicht als Beifügung (Attribut) vor einem Hauptwort.

Im norddeutschen Sprachraum ist es nicht unüblich, die Wörter an, aus, auf, zu, dran und ab wie Adjektive zu behandeln und sie einem Hauptwort voranzustellen. Für Sibylle ist es sogar die natürlichste Sache der Welt. Als ich ihr einmal ein Foto von mir mit kurz geschorenem Haar zeigte, rief sie überrascht: »Oh, du – mit abben Haaren!«

Auf einer Fahrt durch Mecklenburg standen wir einmal an einer Straßenkreuzung und wussten nicht weiter. »Nehmen wir die linke Straße oder die rechte?«, fragte ich. »Wir nehmen die geradeause!«, beschloss Sibylle.

Und nie werde ich's vergessen, wie wir im Aufzug der Universität standen und sich ein Student mit einer brennenden Zigarette zwischen uns drängte. Rauchen war damals im Uni-Gebäude noch erlaubt, aber freilich nicht im Fahrstuhl. »Ist das zu fassen?«, empörte sich Sibylle daher zu Recht, »mit 'ner annen Zigarette!«

Ehe man sich's versieht, werden in der norddeutschen Umgangssprache aus geschlossenen Fenstern *zue* Fenster, weiter südlich können es auch *zune* Fenster oder *zuene* Fenster sein, auf eine einheitliche Form hat man sich noch nicht einigen können. Was vom Duden als »saloppe Umgangssprache« beschrieben wird, findet gelegentlich Eingang in Publikationen, die sich eigentlich weder als salopp noch als umgangssprachlich verstanden wissen wollen. So behauptete die Karlsruher Internetzeitung ka-news.de in einem Bericht über Kleidung im Büroalltag: »Für Frauen sind ein längerer Rock und zuene Schuhe das ideale Büro-Outfit.«

Als ich Sibylle dieses bemerkenswerte Fundstück präsentierte, stellte sie kopfschüttelnd fest: »So was kann man doch nicht schreiben, das ist doch ein total danebener Satz!« Darin konnte ich ihr nur zustimmen. Adverbien lassen sich nicht beugen – und auch nicht steigern. Von solchen Hinweisen zeigt Sibylle sich freilich völlig unbeeindruckt. Ihr macht es viel mehr zu schaffen, dass sie ihre Oma jetzt nicht mehr so einfach besuchen kann, weil sie in ein »weiter weckes Krankenhaus« verlegt worden ist.

An diesem Adventssonntag ist Sibylle wieder in Höchstform. »Es bringt nichts, einer vorbeien Beziehung nachzutrauern«, erklärt sie einer frisch getrennten Freundin. Und zu ihrer Arbeitskollegin, die auf eine Dreiviertelstelle reduziert hat, um ihrer Kündigung zuvorzukommen, sagt sie: »Das ist doch eine okaye Lösung!«

Und auch für mich hat sie noch ein paar aufheiternde Worte parat. Den Schranktüren-Tick kenne sie nur allzu gut, ihr Exfreund habe sich auch immer von solchen Dingen ablenken lassen. Das sei manchmal sehr lästig gewesen, vor allem wenn sie es sich gerade ein bisschen gemütlich machen wollten. Da half dann nur eins: Licht aus! »Denn«, so schließt Sibylle verschmitzt, »bei zuen Gardinen und ausem Licht, da stören aufe Schranktüren nicht!«

Außerdem sagt Sibylle …	
… wenn man sich bei ihr für einen Gefallen bedankt, den sie gern getan hat:	Keine Ursache, das war ein gerner Gefallen!
… wenn sie mich nach passendem Wechselgeld fragt:	Hast du klein genuges Geld dabei?
Den Freund, den sie nach dem Sportlehrer und vor dem EDV-Programmierer hatte, nennt sie …	… den dazwischenen Freund
Einen Pullover, den jemand verkehrt herum trägt, bezeichnet sie als …	… einen verkehrtrummen Pulli
Wenn ich in ihre Richtung sprechen soll, dann sagt sie:	Bitte in zu mir hinner Richtung sprechen!
Bratwurst mag Sibylle am liebsten gut durch, daher verlangt sie am Würstchenstand:	Eine Thüringer bitte! Aber 'ne gut durche!
Wenn ich mit ihr nicht einer Meinung bin, dann habe ich laut Sibylle …	… eine dagegene Meinung (eine dafürene wäre ihr vermutlich lieber)

An? Zu? Geschenkt!

Beschenkt man sich *zu* oder *an* Weihnachten? Und wieso sind es keine Weihnächte? Am 24. Dezember begehen wir nicht nur das Fest der Lichter und Geschenke, sondern auch das Fest der Sprachwichtel.

Ob man sich *zu* Weihnachten trifft oder *an* Weihnachten, ist nicht eine Frage von Richtig oder Falsch, sondern von Nord oder Süd. In Norddeutschland ist die Präposition »zu« verbreitet, im Süden hingegen wird »an« favorisiert. Irgendwo dazwischen gibt es auch Gegenden, in denen man sich *auf* Weihnachten sieht. Die deutsche Grammatik lässt oft mehr als eine Möglichkeit zu – dies gilt besonders an, auf oder zu Weihnachten, denn schließlich ist die Weihnachtszeit die Zeit der Versöhnung und Großherzigkeit. Es lohnt sich nicht, wegen einer kleinen Präposition einen Streit vom Zaun zu brechen. Der Standard empfiehlt daher, auf die Präposition ganz zu verzichten: Da trifft man sich Weihnachten und sieht sich Ostern wieder. Ganz ohne *zu*, *an* oder was-auch-immer.

Es gibt aber noch mehr Fragen – zum Beispiel die, ob Weihnachten eigentlich ein Einzahl- oder Mehrzahlwort ist. Die Endung -en sieht doch verdächtig nach einem Plural aus. Und schließlich gibt es auch das endungslose Wort Weihnacht. Wieso wird »Weihnachten« dann aber wie ein Singular behandelt? Müsste es statt »Kein Weihnachten ohne Geschenke« nicht »Keine Weihnachten ohne Geschenke« heißen? Nun, Weihnachten ist ein ziemlich altes Wort, ein sehr, sehr altes sogar, für das sich bereits im 12. Jahrhundert Belege finden lassen. Laut etymologischem Lexikon beruht das Wort »Weihnachten« auf einem alten Dativ Plural:

»ze den wîhen nahten« hieß es im Mittelhochdeutschen, »in den heiligen Nächten«. Damit waren ursprünglich die schon bei den Germanen gefeierten Mittwinternächte gemeint. Der Pluralgebrauch ging im Laufe der Jahrhunderte verloren, und im 18. Jahrhundert schließlich hatte sich der Singular durchgesetzt – weil die heiligen Nächte zusammen als ein Fest wahrgenommen wurden. Der alte umlautlose Dativ »nachten« indes blieb bestehen und wurde nicht zu »nächten«. In einigen Regionen des deutschsprachigen Südens tauchten zwar vereinzelt Formen wie »*wîhnechten*« oder »*wîchennächten*« auf*, doch tauchten sie früher oder später auch wieder unter. Weihnachten ist schließlich ein Fest der Traditionen, und Tradition fängt bei der Sprache an. Also blieb es beim mittelhochdeutschen »nachten«, und zwar nicht nur nachts, sondern auch am Tage: Der erste und zweite Weihnachtstag sind sprachlich gesehen eigentlich ein Paradoxon, denn wie kann es gleichzeitig Nacht und Tag sein? Nun, in nördlicheren Gefilden kann es das durchaus, da breiten sich die Winternächte fast über den gesamten Tag aus, und der Weihnachtsmann kommt ja bekanntlich aus dem hohen Norden. Oder etwa nicht?

Vieles spricht dafür, dass er aus den Vereinigten Staaten kommt. Tatsächlich gibt es den Weihnachtsmann in seiner jetzigen Gestalt als rauschebärtigen Mann mit rotem Mantel und Zipfelmütze, der in seinem Schlitten der A-Klasse mit mindestens acht RS (= Rentierstärken) durch die Gegend heizt, erst seit den 20er-Jahren. So stellten sich die Amerikaner ihren Santa Claus vor. Und seit 1931 trug der

---

* Zum Beispiel in Ludwig Ganghofers »Kasermanndl«. Da heißt es: »Schlag ein, Dirndl! Hundert Mark Lohn im Jahr, an Ostern ein neues Gwand, an Weihnächten ein richtigs Präsent und in der Zwischenzeit diemal ein bißl was nach meiner Z'friedenheit. Bist einverstanden?«

Coca-Cola-Konzern mit einer Werbekampagne maßgeblich zur Verbreitung dieses Weihnachtsmann-Bildes bei. In Deutschland kannte man bis dahin eigentlich nur den Nikolaus, und der wurde traditionell in bischöflicher Tracht dargestellt. Unsere heutige Vorstellung vom Weihnachtsmann ist somit ein Amerikanismus.

Doch das ist noch nicht alles: Denn bevor der Weihnachtsmann ein Amerikaner wurde, war er ein Niederländer. Santa Claus geht zurück auf die Figur des Sinterklaas, der mit den Niederländern im 17. Jahrhundert an der amerikanischen Ostküste gelandet war. Und Sinterklaas ist der niederländische Name für Sankt Nikolaus – also sind der Weihnachtsmann und der Nikolaus ein und dieselbe Person! Das mag verwirrend sein, denn wenn der Nikolaus bereits am 6. Dezember den Kindern Süßes und Geschenke in die Schuhe stopft, warum kommt er dann am Heiligabend als Weihnachtsmann noch mal? Besser, wir stellen keine Fragen, sonst kommen am Ende noch die Agentur für Arbeit oder das Finanzamt und nehmen den alten Mann wegen unangemeldeter Nebentätigkeit hops. Und ohne Weihnachtsnikolaus wär's an und zu Weihnachten ganz schön traurig.

So schnackt der Norden

Schönes, flaches Norddeutschland, von Rügen bis Sylt, zwischen Förde und Harz, wo die Trecker knattern und das Bier herb schmeckt, da wird gefeudelt und gepütschert, geklönt und klamüstert, dass einem ganz blümerant wird!

Wenn Sie es noch nicht gemerkt haben sollten: Ich bin Norddeutscher. Da kann ich nix für, wie man bei uns sagt, ich wurde eben im Norden geboren. Der Süden begann für uns schon südlich der Elbe, spätestens ab Hannover. Und das Deutsch, das wir in der Schule lernten, unterschied sich in nichts von dem, das wir zuhause sprachen. Und das war wiederum das gleiche Deutsch, das im Fernsehen gesprochen wurde, von Ernie und Bert und von Pippi Langstrumpf. Und die Pippi musste es ja wissen, denn die war schließlich Schwedin. Solange ich Kind war, gab es für mich nur dieses eine Deutsch. Ja, bei der Augsburger Puppenkiste sprachen die manchmal etwas merkwürdig, das fiel mir schon auf, aber als Kind wundert man sich nicht, sondern nimmt gewisse Dinge einfach zur Kenntnis.

Als ich größer wurde, wurde mir klar, dass die Mehrheit der Deutschsprechenden mit einem Dialekt aufgewachsen ist und Hochdeutsch erst später in der Schule wie eine zweite Sprache hinzugelernt hat. Bei uns in der Familie wurde kein Platt gesprochen – obwohl wir auf dem Lande lebten und mein Elternhaus direkt an eine Kuhweide grenzte. Platt wurde nur noch in den Bauernfamilien gesprochen. Heute bedaure ich, dass ich kein Platt gelernt habe, denn dann hätte ich zum Beispiel mit Ina Müller schön rustikal einen ausschnacken können, als ich zu Gast in ihrer Sendung war. Und ich hätte als Kind nicht immer gleich in

Panik zu geraten brauchen, wenn einer der Bauern aus unserem Dorf mich auf Platt anredete.

Meine Muttersprache war also Hochdeutsch. Oder das, was wir Holsteiner dafür hielten. So ganz lupenrein ist das Hochdeutsch der Nordlichter nämlich nicht. Wie jede Regionalsprache hat auch das Norddeutsche seine Besonderheiten. Meistens rühren diese noch vom Platt her, in einigen wenigen Fällen auch vom Friesischen. In Flensburg und an der deutschen Westküste begrüßt man einander zum Teil noch heute mit einem kräftigen »Moin!«, das heißt aber nicht, wie viele vermuten, »Morgen!«, sondern einfach nur »Guten!«, denn »moi« ist friesisch und heißt »gut« und »schön«. Daher kann man in Flensburg auch am Abend noch »Moin!« hören, was Ortsfremden immer recht seltsam erscheint.

Es gibt einige Wörter, die den Norddeutschen außerhalb seiner Heimat sofort als Norddeutschen verraten. Eigenschaftswörter wie *plietsch* oder *krüsch* zum Beispiel. Krüsch ist doch ein ganz wunderbares Wort! Ich wüsste gar nicht, was ich stattdessen auf Hochdeutsch sagen sollte. »Wählerisch« vermutlich. Aber das klingt nicht annähernd so verzickt wie »krüsch«.

Oder nehmen wir nur mal den Feudel – für unsereinen die selbstverständlichste Sache der Welt. Aber südlich von Osnabrück und Hannover hört das mit der Selbstverständlichkeit ganz schnell auf! Da erntet man als Hausmann reichlich irritierte Blicke, wenn man voller Stolz berichtet, man habe gründlich gefeudelt und danach noch eine Stunde geplättet. Immerhin aber steht Feudel im Duden, mit dem Vermerk: *norddeutsch für Wischlappen.* Auch Plättbrett und Plätteisen sind eingetragen.

Und dann wäre da noch ein Ding, das in keinem Haushalt fehlen darf: der Pümpel. Denn ein Pümpel (oder Pömpel) ist ein segensreiches Hilfsmittel bei Verstopfung. Wohlgemerkt: nur bei Rohrverstopfung. Nicht bei Darmverstopfung. In der Fachsprache nennt man den Pümpel daher auch Abflussreinigungssauggerät oder – kürzer – Haushaltssaugglocke. Nicht zu verwechseln mit der medizinischen Saugglocke, die gelegentlich bei der Geburt zum Einsatz kommt. Manche Menschen vermitteln zwar durchaus den Eindruck, als seien sie eher mit dem Pümpel auf die Welt geholt worden, aber das steht auf einem anderen Blatt. Mit einem Pümpel kann man außerdem viel Spaß haben, denn er ist ungemein vielseitig einsetzbar. So eignet er sich zum Beispiel hervorragend als Holzbein für Faschingspiraten – oder als Gasmaske für Pinocchio. Auch als Wurfgeschoss erfreut sich der Pümpel zunehmender Beliebtheit. Kurzzeitig verzeichnete die Sportart »Pümpel-Dart« einen regelrechten Boom, nachdem es einem Mann im Oktober 2007 bei »Wetten, dass …?« gelungen war, innerhalb von neunzig Sekunden zwanzig Pümpel auf zehn Männerrücken so zu werfen, dass sie haften blieben.

Norddeutsch ist schön! Ohne Ausdrücke wie *tüdelig*, *klöterig*, *rammdösig* und *dun* wäre unsere Sprache doch viel zu nüchtern. Und *pütschern*! Wie herrlich ist das! Pütschern kann ich ja stundenlang: im Haus rumpütschern, im Garten rumpütschern. Laut Wörterbuch bedeutet »pütschern« so viel wie »umständlich arbeiten«. Da hört sich »pütschern« allerdings deutlich besser an! Norddeutsch hat viel mit gutem Klang zu tun.

Wenn man hier und da ein plattdeutsches Idiom einfließen lässt, hört sich manches gleich viel weniger schlimm an, als es ist. Auf Platt darf man fast ungestraft beleidigen:

Ausdrücke wie *Bangbüx*, *Drönbüdel* oder *Dösbaddel* klingen geradezu sympathisch. Kein Vergleich zu »Feigling«, »Nervensäge« oder »Dummkopf«. Bei uns zuhause galt immer: »Scheiße« sagt man nicht! Aber *Schiet*, das darf man sagen! In *Hundeschiet* zu treten ist nicht halb so unangenehm wie in Hundeschei… zu treten. Und wenn's draußen auch noch so regnet und stürmt – das Wort »Schietwedder« hört sich für mich immer irgendwie gemütlich an.

Und wo wir gerade beim Wetter sind: An dieser Stelle bietet sich die Gelegenheit, mit einem weitverbreiteten Missverständnis aufzuräumen, das seinen Ursprung im Plattdeutschen hat. Der Glaube, dass ein brav leer gegessener Teller Einfluss auf die meteorologische Entwicklung haben könnte (»Wenn du alles aufisst, dann gibt es morgen gutes Wetter!«), beruht auf einem Übersetzungsfehler. Auf Platt pflegte man nämlich zu sagen: »Un wenn du allens opeeten dost, dann gifft et morgen wat goods wedder!« Übersetzt heißt das: »Wenn du alles aufisst, dann gibt es morgen wieder was Gutes!« Denn wo nichts übrig bleibt, da gibt es auch nichts aufzuwärmen, folglich wird am folgenden Tag eine neue Mahlzeit zubereitet, und Frisches schmeckt bekanntlich besser als Aufgewärmtes, daher darf man sich auf etwas Gutes freuen. Wenn dann auch noch die Sonne scheint, hat man doppelten Grund zur Freude, auch wenn das eine mit dem anderen nichts zu tun hat, denn zwischen Himmel und Teller besteht kein Zusammenhang.

Der Norddeutsche an sich steht zwar nicht gerade im Ruf, ein Ausbund an Heiterkeit zu sein. Aber so miesepetrig, wie ihm nachgesagt wird, ist er natürlich nicht. Im Gegenteil. Der Norddeutsche kennt viele verschiedene Gemütszustände: Das geht von *gnaddelig* über *muffelig* und *knatschig* bis hin zu *mucksch*.

Der Norddeutsche legt sich nicht so gerne fest. Deshalb haben viele Wörter mehrere Bedeutungen. *Kodderig* zum Beispiel, das kann einerseits für »schlecht« oder »übel« stehen: »Ach, ich fühl mich so kodderig«; »Mensch, is mir heute kodderig« – andererseits für »unverschämt« und »frech«: »Der redet aber kodderig«, sagt man, wenn sich jemand im Ton vergreift. Daher auch das schöne, sich klanglich fast selbst erklärende Wort *Kodderschnauze*. Für den einen bedeutet »luschern« so viel wie heimlich gucken (»He, du luscherst ja!«), für den anderen heißt es »schlafen«: »Gute Nacht! Luscher schön!« Bei solchen Bedeutungsunterschieden ist es ein Wunder, dass sich die Norddeutschen untereinander überhaupt verstehen. Auch das praktische Wort *Macker* hat mehr als eine Bedeutung. Zum einen steht es für »Freund« oder »echt cooler Typ« (norddeutsche Ischen haben einen Macker), zum anderen ist ein Macker auch ein kastrierter Esel. Ja, wirklich. Das kommt aus der Landwirtschaftsfachsprache. Aber ob nun cooler Kerl oder kastrierter Esel – wenn man's genau betrachtet, ist das gar kein Widerspruch.

Eine Auswahl typischer norddeutscher Ausdrücke	
angeschickert	angetrunken, beschwipst
angetüdert, angetütert	angetrunken, beschwipst
baselig	vergesslich
begöschen, begöschern (mit langem ö)	jemanden beschwatzen, jemandem schmeicheln
bräsig	schwerfällig (im Kopf)
Büdel	Beutel, Tasche
Büschen	Bisschen
Döntjes	Anekdoten
Dösbaddel	Dummkopf

Eine Auswahl typischer norddeutscher Ausdrücke

drömelig	verträumt, langsam
Drönbüdel	Langweiler
dun, duun	betrunken
dumm Tüch, Dummtüch	dummes Zeug, Unsinn
Dutt	Haarknoten
Feudel	Wischlappen
figgelinsch, fiegeliensch	schwierig, kompliziert, vertrackt
Frikadelle	gebratene oder gedünstete Hackfleischschnitte, auch bekannt als Bulette oder Fleischpflanzerl
Gedöns (mit langem ö), Gedöns machen	Aufstand, Aufhebens machen, umständlich sein
gnadderig, gnaddelig	unwirsch, mürrisch, schlecht gelaunt
klamüsern, klabüstern (auch in Zusammensetzungen wie auseinanderklamüsern, ausklabüstern) (von Kalmäuser, spöttische Bezeichnung für einen Gelehrten)	basteln, nachdenken (auseinanderklamüsern: mühsam entwirren)
klönen	sich unterhalten
Klönschnack, Klönsnack	Unterhaltung
klöterig	schlecht, schwächlich
kodderig	unwohl, übel, auch: dreist, frech
kommodig	gemütlich
krüsch	wählerisch (meist in Bezug auf Essen)
luschern	heimlich gucken, nachsehen, spionieren, auch: schlafen
luschig	ungenau, oberflächlich, schlampig
lütt	klein
mittenmang	inmitten, mittendrin

186

Eine Auswahl typischer norddeutscher Ausdrücke

Moin!	Guten (Morgen/Tag/Abend)!
muffelig, mufflig	mürrisch
mucksch, muksch	eingeschnappt, beleidigt
Murkel	zärtlich für: kleines Kind
Peterwagen	Polizeiauto
piefig	altmodisch, provinziell, spießig
pieschern, püschern	Wasser lassen, urinieren
plätten, dazu: Plättbrett und Plätt-eisen	bügeln, Bügelbrett und Bügeleisen
plietsch	findig, pfiffig, gewitzt, smart, intelligent
Pott, Mehrzahl: Pötte	Topf, großes Schiff, großer Becher (Kaffeepott) (*zu Potte kommen* oder *in die Pötte kommen* = mit etwas fertig werden)
Pümpel, Pömpel	Abflussreinigungssauggerät
Puschen (mit langem u)	Hausschuhe, Pantoffeln (in die Puschen kommen = sich in Bewegung setzen)
pütschern, püttjern	umständlich arbeiten, kleckern
rammdösig	benommen
Schiebkarre	Schubkarren
Schieblade	Schublade
Schietwetter	Mistwetter
Schietbüdel	Kleinkind, Windelscheißer
schietig	schmutzig
schnacken	reden
sutsche, sutje (mit langem u)	langsam, gemächlich
Tö, auf Tö müssen	WC, zur Toilette müssen
Töffel	Tollpatsch, Dummkopf

187

Eine Auswahl typischer norddeutscher Ausdrücke	
Trecker	Traktor
tschüs (mit langem ü) oder tschüss (mit kurzem ü)	Auf Wiedersehen! (von adios ⋯⇢ atschüs ⋯⇢ tschüs)
Tüddel(chen), Tüttel(chen)	Anführungszeichen (Gänsefüßchen), Umlautpunkte
tüdelig/tüddelig sein, in Tüdel/Tüddel geraten/bringen	durcheinander sein/ durcheinanderbringen
Tüdelkram, Tüterkram	Durcheinander
verbaselt	vergessen
versust, versuust	verloren, verlegt, verschlampt
vertüdelt, vertütert	durcheinandergeraten
Wurzeln	Möhren, Karotten

Pföne gepfäumte Mupfel

Donnerwetter! Die Augsburger Puppenkiste ist 60 geworden! Der Zwiebelfisch-Autor hat das Maunzerle, Ping Pinguin und die Opodeldoks besucht, um ganz herzlich zu gratulieren. Und er hat sich ein paar Gedanken über die Sprache der berühmten Marionetten gemacht.

In meiner Kindheit war ich ein Wurm, wie er im Buche steht. Will sagen, ein Wurm, der auf Bücher steht. Ein Bücherwurm, eine waschechte Leseratte. Ich habe alles verschlungen, was unsere kleine Stadtbücherei an Märchen und Abenteuergeschichten hergab. Die Werke von Autoren wie Otfried Preußler, Ellis Kaut, Michael Ende und Max Kruse haben mich gefesselt und inspiriert, sie haben in mir die Leidenschaft für das Lesen und Geschichtenerzählen entfacht. An ihrer schier unerschöpflichen Fantasie habe ich mich als junger Bub berauscht, wie ich mich heute nur noch an einem guten Rotwein berauschen kann.

Dank der Bücher dieser Autoren war meine Kindheit eine Zeit voller Magie. Doch die allermagischsten Momente, die habe ich vor dem Fernseher erlebt, am Sonntagnachmittag im Advent, wenn ich wie gebannt vor dem Apparat hockte und es kaum erwarten konnte, dass der Deckel der Puppenkiste aufsprang und der samtene Vorhang auseinanderglitt, um den Blick auf eine andere Welt freizugeben.

Denn jene Welt hinter diesem Deckel und hinter diesem Vorhang – nun, das war eine Welt, die jedes Kind sofort in ihren Bann schlägt. Da gab es Berge aus Pappmaché, Wasser aus durchschimmernder Plastikfolie, Inseln mit und ohne Eisenbahnverkehr, feuerspeiende Vulkane, Jahrmärkte, fliegende Teppiche, Blechbüchsenarmeen, Piraten und Roboter – all das ließ mein Herz höher schlagen. Und ich schaute nicht nur wie gebannt, ich hörte auch ganz genau hin.

Denn die Sprache spielt in den Inszenierungen der Augsburger Puppenkiste immer eine große Rolle. Um Worte ist man nie verlegen, ob gesprochen oder gesungen. Allerdings steht die Sprache längst nicht immer auf sicheren Füßen. Manchmal können es nämlich auch Pfoten sein. Oder Tatzen. Schon der Kater Mikesch hat schließlich vorgemacht, dass das Reden nicht allein den Menschen vorbehalten ist. Auch seine Freunde, das Schwein Paschik und der Ziegenbock Bobesch, lernten das Sprechen. Und zwar fehlerfrei. Nur das kleine Kätzchen Maunzerle tat sich etwas schwer. Es hatte nämlich einen Sprachfehler: Statt »s« sagte es immer »sch«; ein Satz wie »Im Keller ist 'ne Maus« wurde bei ihm zu »Im Keller ischt 'ne Mausch«. Vielleicht handelte es sich aber auch gar nicht um einen Sprachfehler, vielleicht war das Maunzerle einfach nur ein schwäbisches Kätzchen. Womöglich kam's sogar aus Augschburg!

Auf jeden Fall ist Maunzerle nicht der einzige Bühnenstar mit einer sprachlichen Auffälligkeit. Und gerade deshalb ist es im Ensemble der Augsburger Puppenkiste gut aufgehoben, denn Spracherziehung ist der Puppenkiste von jeher eine Herzensangelegenheit. Den besten Beweis liefert Professor Habakuk Tibatongs Tiersprechschule aus den »Urmel«-Geschichten. Dort wird vorgemacht, dass Sprachunterricht viel Spaß machen kann.

Allerdings ist auch in der Tiersprechschule auf der Insel Titiwu – genauso wie in den Schulen hierzulande – immer wieder ein gewisser Unterrichtsausfall zu verzeichnen.

Schuld daran ist Wutz, die putzwütige Haushälterin des Professors, die sich nicht davon abhalten lässt, die Schule regelmäßig einem Großreinemachen zu unterziehen. So kommt es, dass der kleine Ping Pinguin auch am Ende der letzten Folge noch nicht gelernt hat, das »sch« zu sprechen. Es kommt nach wie vor nur ein »pf« heraus. Folglich ist die schöne geschäumte Muschel, in die sich Ping Pinguin so gerne zum Träumen zurückzieht, bis heute eine pföne gepfäumte Mupfel geblieben.

Von der Augsburger Puppenkiste lernte ich auch manches geflügelte Wort, das mir in meinem späteren Leben noch von Nutzen sein sollte. Unvergesslich zum Beispiel die Worte der Schweinedame Wutz: »Oh, du saftige Rübe, öff öff.« Ebenso der Satz des Kamels aus den »Löwe«-Filmen: »Ich bin errrschütterrrt!«

Und nicht zu vergessen der Ausspruch des Großvaters in den »Opodeldoks«. Der sagte immer: »Früher war alles schlechter!«, was mir als Kind schon zu denken gab, da ich es von den Alten stets anders gewohnt war. Die behaupteten doch immer, dass früher alles besser gewesen sei, was ich nie glauben konnte, denn früher, da hatte es Krieg gegeben und Inflation und Massenarbeitslosigkeit, was sollte daran besser gewesen sein? So erschien mir der Großvater der Opodeldoks schon damals weiser und vernünftiger als die meisten anderen Erwachsenen zu sein.

Mithilfe der Puppenkiste habe ich schließlich sogar erste Fremdsprachenkenntnisse erworben. »Orrr rrreddi rrraks!« – so lauten die ersten Worte aus »Schlupp vom grünen Stern« – gesprochen von Herrn Ritschwumm, einem Bewohner des Planeten Baldasiebenstrichdrei. Welch ein Klang, welch eine kraftvolle Sprache! Da sich die Macher der Serie jedoch mit Rücksicht auf das deutsche Publikum dazu entschlossen hatten, die Dialoge der Bewohner von Baldasiebenstrichdrei in deutsch-synchronisierter Fassung wiederzugeben, blieben meine Kenntnisse des Baldaischen bedauerlicherweise nur rrrudimentärrr.

Und mit einer weiteren Fremdsprache brachte mich die Augsburger Puppenkiste in Berührung: dem Bayerischen. Sehr kompliziert, das kann ich Ihnen sagen! Und voller äußerst merkwürdiger Ausdrücke! In einer Episode der »Löwe«-Trilogie sieht man den Zoowärter, der Löwe bewachen soll, über ein Buch gebeugt an seinem Schreibtisch sitzen und Hochdeutsch üben: »Servus, alte Hütten = guten Tag, lieber Freund ... Sauviech mischtigs = dummes Tier, du.« Kopfschüttelnd stellt der Zoowärter fest: »Also, Ausdrücke haben die im Hochdeutschen ...«

Von der Puppenkiste habe ich auch gelernt, die Sprache sehr genau zu nehmen. Als der Großwildjäger Pumponell auf der Jagd nach dem Urmel von Wawa in eine Höhle gelockt wird und dort durch einen unvorsichtigen Schuss einen Stalaktitenhagel auslöst, muss er feststellen, dass er in der Falle sitzt. »Der Eingang, er ist verschüttet«, ruft er entgeistert aus. Wawa stellt richtig: »Von uns aus gesehen ist es der Ausgang!« Das ist klug beobachtet, auch wenn es an der Lage der Verschütteten herzlich wenig ändert.

Aber es ist immer eine Sache des Standpunkts und der Perspektive des Sprechers, das habe ich auch einmal in einer Geschichte geschrieben, in welcher ich den Unterschied zwischen »hinab« und »herab« zu erklären versuchte.*

---

* Siehe »Nach oben hinauf und von oben herunter« in »Der Dativ ist dem Genitiv sein Tod, Folge 2«, S. 162 ff.

Sollte die Augsburger Puppenkiste am Ende gar den Grundstein zu meiner Tätigkeit als Sprachbeobachter und Sprachratgeber gelegt haben? Donnerrrwetterrr, das wäre nicht auszuschließen!

Da fällt mir noch ein Beispiel ein: Mithilfe des freundlichen Riesen Tur Tur lernt man den Unterschied zwischen »anscheinend« und »scheinbar« kennen – denn Herr Tur Tur, dem Jim Knopf und Lukas auf ihrer Reise nach China in der Wüste begegnen, ist nur scheinbar ein Riese. Ein Scheinriese, der immer größer wird, je weiter er sich entfernt, und immer kleiner, je näher er kommt. Was, wie die »Zeit« einmal bemerkte, bis heute ein verbreitetes Phänomen bei vielen prominenten Riesen sei.

Im Museum der Augsburger Puppenkiste kann man erfahren, dass der Schein im Falle des scheinbaren Riesens sogar doppelt trog, denn in den vier Einstellungen, die Tur Tur in verschiedener Entfernung zeigten, blieb die Figur jedes Mal gleich groß, während der Sandhügel im Hintergrund kleiner wurde.

Mein Freund Henry bemerkte einmal: »Weißt du, woran man erkennt, dass die Kindheit vorbei ist? Die Kindheit ist vorbei, wenn man bei den Figuren der Augsburger Puppenkiste die Fäden sieht!«

Deutch ins Grundgesätz!

Immerzu lese ich dieser Tage, die CDU habe beschlossen, die deutsche Sprache ins Grundgesetz aufzunehmen. Da wundere ich mich doch: Ist das Grundgesetz denn gar nicht in deutscher Sprache verfasst? Und wird man jetzt bestraft, wenn man etwas cool findet?

Im November 2008 hat die CDU auf einem Parteitag in Stuttgart beschlossen, ein Bekenntnis zur deutschen Sprache ins Grundgesetz aufzunehmen. Mit großer Mehrheit, wenn auch nicht einstimmig. Angela Merkel war dagegen. »Ich persönlich finde es nicht gut, alles ins Grundgesetz zu schreiben«, sagte sie dem RTL-»Nachtjournal« und fuhr fort: »Wir haben jetzt Anträge auf Kultur, auf Sport, auf die Frage der Familien, auf die deutsche Sprache jetzt, und wir müssen aufpassen, dass das jetzt nicht inflationiert.«

Was hier und jetzt schon mal inflationierte, ist der Gebrauch des Wortes »jetzt«. Davon abgesehen mögen die Überlegungen der Kanzlerin nicht ganz von der Hand zu weisen sein. Ich wüsste auch noch ein paar weitere schützenswerte Dinge, von denen im Grundgesetz kein Wort steht. Wie wäre es zum Beispiel mit dem Schutz des Gehörs vor Lärm? Das Ohr ist ein überaus empfindliches Organ, und doch wird es immer stärker strapaziert, durch Handy-Klingeltöne, ständig piepende Elektronik in den Autos und – ganz schlimm – durch Laubpüster! Die unsinnigste Erfindung überhaupt!

Doch bleiben wir sachlich: Auch die Befürworter des CDU-Antrags haben verständliche Argumente. Die deutsche Sprache ist zweifellos unser wertvollstes Kulturgut und verdient es, geschützt zu werden. Doch dann stellt sich zwangsläufig die Frage: Wie ist die deutsche Sprache überhaupt definiert? Wer sagt und schreibt vor, was Deutsch ist und was nicht? Würde ein Bekenntnis zur deutschen Sprache im Grundgesetz zur Folge haben, dass die Verwendung englischer Begriffe wie Feedback, Meeting, Catering und Laptop künftig strafbar wird? Wie sag ich dann zu meinem Toaster? Bekommen Schüler demnächst Strafpunkte, wenn sie etwas *cool* finden?

Komisch eigentlich, dass gerade Angela Merkel gar nicht dafür gestimmt hat. Ein grundgesetzliches Bekenntnis zur deutschen Sprache würde ihr doch einen perfekten Grund liefern, sich die englisch klingende Anrede »Angie« [Ändschie] ein für alle Mal zu verbitten. Aber vielleicht hat sie sich selbst schon so daran gewöhnt, dass sie die »Angie« nicht mehr missen mag.

»Deutschpflicht findet immer mehr Führsprecher«, titelte eine Tageszeitung vor einiger Zeit. Das gab mir zu denken. Ich wäre ja schon zufrieden, wenn die Verpflichtung zu einer korrekten Rechtschreibung in unseren Zeitungsredaktionen und Werbeagenturen mehr Fürsprecher fände.

Deutsch steckt doch schon im Grundgesetz – wie überhaupt in allen Gesetzen, die in unserem Lande gelten. Das ist allerdings nicht immer offenkundig. Denn Gesetze werden von Juristen formuliert, und die haben bekanntlich ihre eigene Sprache; Amtsdeutsch wird sie genannt. Darin gibt es Wörter wie »Lastschrifteneinzugsverfahren«, »Körperschaftsteuerrückstellung«, »Nahrungsergänzungsmittelverordnung« oder »Kostenzusageübernahmeerklärung« und – nicht zu vergessen – die schwunghaft diskutierte »Personenvereinzelungsanlage« (behördendeutsche Umschreibung für »Drehkreuz«) und das »raumübergreifende Groß-grün« (amtliche Definition von »Baum«). Muss man so etwas auch noch durch das Grundgesetz schützen?

Einige Kritiker halten den CDU-Beschluss für ausländer-feindlich. Dabei dürfte jedem, der halbwegs vernünftig denken kann, klar sein, dass es nicht die Migranten sind, die die deutsche Sprache bedrohen. Wenn irgendjemand einen Sprachverfall in deutschen Landen zu verantworten hat, so sind es wir Deutschen selbst – allen voran unsere Politiker.

Die haben durch unsinnige Reformen und Einsparungen im Bildungswesen maßgeblich dazu beigetragen, dass der Deutschunterricht an vielen Schulen nur noch als Not-programm durchgeführt wird. Und Werbung und Indust-rie vermitteln den Kids das Gefühl, dass es sowieso egal ist, wie man schreibt. Zur Not gibt's ja immer noch das Recht-schreibkorrekturprogramm.

Mein Freund Henry sieht das Ganze recht gelassen. »Mich wundert dieser Vorstoß der CDU gar nicht«, sagte er mir. »Im Grundgesetz wird schließlich alles Mögliche geschützt. Selbst der Konjunktiv!« – »Wie bitte? Der Konjunktiv wird durch das Grundgesetz geschützt?«, fragte ich ungläubig. »Ja!«, entgegnete Henry, »dort heißt es doch gleich zu Be-ginn: Das ›Würde‹ des Menschen ist unantastbar!«

Deutsch aus dem Kosmetikköfferchen

»Besser sprechen per Gesetz?« lautete das Thema bei Maybrit Illner am 11. Dezember 2008. Doch statt einer harten Kontroverse im Deutsch-Streit sah man vor allem röhrende Hirsche – und Verona Pooth, die eine super Vorlage für eine Grundgesetzänderung lieferte.

Es war eine sehr männerlastige Runde, die Maybrit Illner an jenem Donnerstagabend ins Studio geladen hatte, um das Für und Wider jenes CDU-Parteitagsbeschlusses zu erörtern, der die deutschen Gemüter erhitzt wie lange kein Parteitagsbeschluss mehr. Es ging um das Bekenntnis zur deutschen Sprache, das nach dem Willen der CDU im Grundgesetz festgeschrieben werden soll.

Da war der stellvertretende Vorsitzende der CDU/CSU-Bundestagsfraktion, Wolfgang Bosbach, sodann der hessische Grünen-Politiker Tarek Al-Wazir, der Journalist und Moderator Ulrich Kienzle, der Sprachkritiker und ehemalige Journalistenlehrer Wolf Schneider und schließlich – als Alibifrau – Verona Pooth, die lange Zeit mit grammatisch bedenklichem Deutsch Werbung gemacht hatte, jetzt aber offenbar geläutert ist und für die deutsche Sprache wirbt. Immerhin bekannte sie im Vorgespräch, dass sie »die deutsche Sprache super« findet.
Ich will nicht verschweigen, dass die Redaktion von Frau Illner auch mich für diese Sendung angefragt hatte, aber just an diesem Abend hatte ich – um es in bestem Deutsch zu sagen – ein *Date* und musste Frau Illner daher einen Korb geben. Meine Verabredung hatte sich dann allerdings kurzfristig zerschlagen, sodass ich nun doch Zeit hatte und mir die Sendung im Fernsehen anschauen konnte.

Alle hatten sich auf diese Gesprächsrunde gut vorbereitet: Bosbach und Al-Wazir hatten sich ihre Argumente genau eingeprägt, Wolf Schneider hatte sich Notizen gemacht, Verona Pooth hatte offenbar Stunden in der Maske zugebracht und an ihrer Frisur gezupft. Es ging um die Frage, ob es Sinn macht – pardon: ob es sinnvoll ist –, die deutsche Sprache per Eintrag ins Grundgesetz unter Schutz zu stellen.

Jeder der Diskutanten hatte gute Argumente. Wolfgang Bosbach (»Es geht nicht um Gebote und Verbote«) sprach angenehm klar und ruhig. Wolf Schneider brillierte wie gewohnt mit scharfzüngiger Sprachkritik. Für kurze Irritation sorgte allein seine Behauptung, die Flagge der Bundesrepublik sei blau-weiß-rot. Zum Glück beharrte er nicht darauf. Tarek Al-Wazir forderte mehr sprachliche Sensibilität von jedem Einzelnen anstelle einer Änderung des Grundgesetzes.

Gastgeberin Illner (»Weil eigentlich ist ja klar ...«) hielt sich angenehm zurück, manchmal allerdings hätte man sich gewünscht, die Regie hätte sie zwischen Kienzle und Bosbach gesetzt, dann wäre Herr Kienzle Herrn Bosbach vielleicht nicht ständig auf so enervierende Weise ins Wort gefallen. Bisweilen wurde es nämlich recht laut – und zwar immer dann, wenn bei den Männern eine Testosteron-Ausschüttung zu verzeichnen war und das Röhren der Hirsche die sachliche Diskussion in den Hintergrund drängte.

Vielleicht hätte die Gegenwart einer weiteren Frau dem Ganzen gutgetan. Angela Merkel zum Beispiel hätte sicherlich für etwas mehr Ausgeglichenheit und weniger künstliche Aufgeregtheit gesorgt. Aber die hatte wahrscheinlich auch gerade keine Zeit. Vielleicht hatte sie ebenfalls ein Date.

Verona Pooth hielt die vielen englischen Wörter im deutschen Sprachalltag für ganz normal. Wenn sie mal wieder eine Woche in L. A. gewesen sei, gingen ihr die meisten englischen Begriffe wie selbstverständlich über die Lippen, sagte sie. Es stellte dann aber leider niemand mehr die Frage, für wie viel Prozent der Deutschen es wohl zur Gewohnheit zähle, immer mal wieder eine Woche in Los Angeles zu verbringen. Davon abgesehen konnte Frau Pooth zahlreiche Sympathiepunkte verbuchen, das Publikum im Saal signalisierte mit wohlwollendem Beifall, dass es ihr die »Da werden Sie geholfen«-Kampagne ebenso verziehen hatte wie ihre kurze Mesalliance mit Dieter Bohlen.

Am Ende stellte sich heraus, dass sich im Grunde alle einig waren: Keiner will zu einer Hexenjagd auf englische Wörter aufrufen, keiner will den Türken ihre türkische Kultur verbieten, keiner will die Jugendsprache unterbinden, die Dialekte schon gar nicht (nicht einmal Sächsisch, obwohl einer eingeblendeten Umfrage zufolge 40 Prozent der Befragten den sächsischen Dialekt als »unangenehm« empfinden), und keiner will eine alles reglementierende Superbehörde oder eine alles überwachende Sprachpolizei.

Tatsächlich hatte sogar niemand wirklich etwas dagegen, dass die deutsche Sprache durch den Zusatz »Die Sprache der Bundesrepublik ist Deutsch« im Grundgesetz verankert wird. Selbst Ulrich Kienzle nicht, sodass Maybrit Illner resümierte: Dafür, dass es eigentlich keine Kontroverse gab, wurden wahnsinnig viele Worte gemacht.

Und nachdem Tarek Al-Wazir seinem Gegenspieler Bosbach das Versprechen abgenommen hatte, die Forderung »Deutsch ins Grundgesetz« nicht als Wahlkampfparole auszugeben, war auch der letzte Dissens aus der Diskussion gewichen. Politische Konsequenzen sind nicht zu befürchten. Es sei denn, die SPD macht sich jetzt für ein gesetzliches Verbot des sächsischen Dialekts stark – in der Hoffnung, damit endlich einmal wieder auf 40 Prozent zu kommen.

Auch von juristischen Konsequenzen wollte niemand etwas wissen. Alle waren sich einig, dass sich durch die Festschreibung im Grundgesetz gar nichts ändern würde. Es wäre nicht viel mehr als eine »freundliche Geste«. Da drängt sich mir natürlich die Frage auf, als was wir unser Grundgesetz eigentlich begreifen: als ein Handbuch voller Nettigkeiten ohne besonderen Nutzen und ohne zwingende Notwendigkeit? Ein harmloses Büchlein, an dem man ab und zu mal ein bisschen Kosmetik betreiben kann, damit es frischer und vielseitiger wirkt?

Apropos Kosmetik: Erst vor wenigen Jahren ist das Grundgesetz schon einmal geändert worden – wegen eines vermeintlichen Rechtschreibfehlers!

Ein Berliner Sonderschullehrer namens Harald Büsing hatte an der Schreibweise des ersten Satzes der Präambel Anstoß genommen. Dort ist von der »verfassungsgebenden Gewalt« des »Deutschen Volkes« die Rede. Büsing war der Meinung, das Fugen-s in »verfassungsgebend« sei falsch. Er strengte einen Streit an, der sich über Jahre hinzog und mehrere Aktenordner füllte. Am Ende behielt der Lehrer Recht – wie es bei Lehrern meistens der Fall ist. Das Innenministerium zeigte sich zerknirscht und erklärte das Fugen-s für falsch. Büsing gab sich damit aber nicht zufrieden. Er wolle weiterkämpfen, sagte er dem »Spiegel«, und dafür sorgen, dass auch noch das großgeschriebene »Deutsche Volk« in ein kleingeschriebenes »deutsches Volk« abgewandelt würde.

Wenn schon kleine Zweifelsfälle der deutschen Orthografie zu einer Überlastung des bürokratischen Apparats führen, was soll dann erst werden, wenn ein Bekenntnis zur deutschen Sprache im Grundgesetz festgeschrieben wird?

Ich behaupte ja, dass auch der Satz »Die Würde des Menschen ist unantastbar« falsch ist, denn Zusammensetzungen mit der Silbe »bar« beschreiben eine Möglichkeit oder Unmöglichkeit, nicht aber eine Forderung oder einen Wunsch. »Dieser Fraß ist ungenießbar« bedeutet, dass die Speise einfach nicht schmeckt. Es bedeutet nicht, dass der Verzehr verboten ist. Und wenn die Würde des Menschen wirklich unantastbar wäre, hieße es, dass man sie gar nicht verletzen *kann*, was auch immer man mit ihr anstellte.

Gemeint ist freilich, dass die Würde des Menschen unter keinen Umständen angetastet werden *darf*. Denn sie ist überaus kostbar und leider sehr zerbrechlich.

Das weiß auch Verona Pooth, die mehr als einmal in ihrem Leben hart am Verlust ihrer Würde vorbeigeschrammt ist. Vielleicht sollte man statt des CDU-Vorstoßes einfach ihr fröhliches Bekenntnis ins Grundgesetz aufnehmen. Dann hieße der Artikel 22:

(1) Die Hauptstadt der Bundesrepublik Deutschland ist Berlin.

(2) Die Bundesflagge ist nicht blau-weiß-rot, sondern schwarz-rot-gold.

(3) Die deutsche Sprache ist super.

Register

Eins, zwei, drei...

Bastian Sick. Der Dativ ist ...
Folge 1. KiWi 863

Bastian Sick. Der Dativ ist ...
Folge 2. KiWi 900

Bastian Sick. Der Dativ ist ...
Folge 3. KiWi 958

»Vergessen Sie den verwirrenden neuen Duden. Gutes Deutsch lernen Sie schneller bei Bastian Sick.« *ttt*

»Lesen, lachen, merken!« *Coburger Tageblatt*

Drei auf einen Streich

Bastian Sick. Der Dativ ist dem Genitiv sein Tod. Ein Wegweiser durch den Irrgarten der deutschen Sprache. Die Zwiebelfisch-Kolumnen. Folge 1-3 in einem Band. Sonderausgabe. KiWi 1072

»Der Dativ ist dem Genitiv sein Tod« ist eines der erfolgreichsten Bücher der letzten Jahre. Mit Kenntnisreichtum und Humor hat Bastian Sick uns durch den Irrgarten der deutschen Sprache geführt. Jetzt sind erstmalig die drei Folgen in einem Band versammelt und mit einem neuen, alle Bände umfassenden Register versehen worden.

www.kiwi-verlag.de

Hier ist Spaß gratiniert!

Bastian Sick. Happy Aua. KiWi 996   Bastian Sick. Happy Aua 2. KiWi 1065

Gordon Blue, gefühlte Artischocken, strafende Hautlotion – nichts, was es nicht gibt! Bastian Sick hat sie in seinen Bilderbüchern aus dem Irrgarten der deutschen Sprache zusammengetragen und kommentiert: missverständliche und unfreiwillig komische Speisekarten, Hinweisschilder, Werbeprospekte u. ä. – die bizarrsten Deutschlesebücher der Welt. Bislang in zwei Bänden zu haben. Fortsetzung folgt!

Verschicken Sie schon oder überlegen Sie noch?

Bastian Sick. Zu wahr, um schön zu sein. Verdrehte Sprichwörter. 16 Postkarten

Jeder kennt es: Da sucht man nach der passenden Redewendung und schon sieht man vor lauter Wald die Bäume
nicht. Schnell sind die falschen Sätze ausgesprochen, sie
kommen einem böhmisch vor und man steht da wie der
Ochs auf dem Berg. Die besten verdrehten Sprichwörter
gibt es nun auf Postkarten – »Zu wahr, um schön zu sein«.

Jetzt schon ein Klassiker!

Bastian Sick. Der Dativ ist dem Genitiv sein Tod.
Gebunden

Die Folge 1 der Erfolgsserie »Der Dativ ist dem Genitiv sein
Tod« jetzt als gebundene Schmuckausgabe mit Lesebänd-
chen.

www.kiwi-verlag.de

Kiepenheuer
& Witsch

Bastian Sick live!

»Bastian Sick ist Kult!«

FRANKFURTER ALLGEMEINE ZEITUNG

BASTIAN SICK
»Happy Aua«-Tour 2008
Live-Lesung
1 CD | 73 min | 9,99 €*
ISBN 978-3-89813-737-9

Mitschnitt der großen Bastian Sick Tournee 2008.
Begleiten Sie Bastian Sick auf seinem unterhaltsamen
Streifzug durch den Irrgarten der deutschen Sprache.
Nirgendwo werden die eigentümlichsten Entgleisungen
der deutschen Sprache so amüsant und lehrreich vermittelt
wie hier! Rasend komisch!

Jetzt überall im Handel!

10 JAHRE www.der-audio-verlag.de